Laïcité et liberté
de conscience

DES MÊMES AUTEURS
EN LANGUE FRANÇAISE

JOCELYN MACLURE

Récits identitaires. Le Québec à l'épreuve du pluralisme, Québec Amérique, 2000.

Repères en mutation. Identité et citoyenneté dans le Québec contemporain (en codirection avec Alain-G. Gagnon), Québec Amérique, 2001.

CHARLES TAYLOR

Grandeur et misère de la modernité, traduction de Charlotte Melançon, Bellarmin, 1992 ; Éditions du Cerf, 1994 (sous le titre *Le Malaise de la modernité*).

Rapprocher les solitudes. Écrits sur le fédéralisme et le nationalisme au Canada, traduction d'Hélène Gagnon, Presses de l'Université Laval, 1992.

Multiculturalisme. Différence et démocratie, traduction de Denis-Armand Canal, Aubier, 1994 ; Flammarion, coll. « Champs », 1997.

La Liberté des modernes. Essais choisis, traduction de Philippe de Lara, Presses universitaires de France, 1997.

Les Sources du moi. La formation de l'identité moderne, traduction de Charlotte Melançon, Boréal et Seuil, 1998 ; Boréal, coll. « Boréal compact », 2003.

Hegel et la société moderne, traduction de Pierre R. Desrosiers, Presses de l'Université Laval et Éditions du Cerf, 1998.

La Diversité de l'expérience religieuse aujourd'hui. William James revisité, traduction de Jean-Antonin Billard, Bellarmin, 2003.

Jocelyn Maclure, Charles Taylor

Laïcité et liberté de conscience

Boréal

© Les Éditions du Boréal 2010
Dépôt légal : 1er trimestre 2010
Bibliothèque et Archives nationales du Québec

Diffusion au Canada : Dimedia
Diffusion et distribution en Europe : Volumen

*Catalogage avant publication de Bibliothèque et Archives nationales du Québec
et Bibliothèque et Archives Canada*

Maclure, Jocelyn, 1973-

    Laïcité et liberté de conscience

    Comprend des réf. bibliogr.

    ISBN 978-2-7646-2007-6

    1. Laïcité. 2. Liberté de conscience. 3. Accommodement raisonnable. 4. Pluralisme religieux. 5. Laïcité – Québec (Province). I. Taylor, Charles, 1931- II. Titre.

BL2747.8.M32   2010   211'.6   C2009-942577-7

Avant-propos

En février 2007, le gouvernement du Québec a mis sur pied la Commission de consultation sur les pratiques d'accommodement reliées aux différences culturelles (CCPARDC)[1]. Au moment de la création de la Commission, la question de la place de la religion dans la sphère publique et, en particulier, celle des demandes d'accommodement fondées sur la religion animaient le débat public québécois depuis près d'un an. Ce livre a pris naissance dans le cadre de la CCPARDC. Nous avons tous les deux eu l'honneur de faire partie de cette commission : Charles Taylor en tant que coprésident et Jocelyn Maclure en tant qu'analyste-expert.

Notre mandat le plus important lors de la rédaction du rapport final de la Commission fut de rédiger le chapitre portant sur la laïcité. Le présent livre est issu de ce chapitre. Un rapport public, évidemment, n'est pas un traité de philosophie. Le rapport d'une commission gouvernementale doit être clair, accessible, concis et, surtout, entièrement consacré à la compréhension des enjeux sociaux et politiques qu'il doit éclairer et à l'identification de pistes d'action concrètes. Un tel rapport ne peut donc que s'en tenir à l'essentiel et laisser un certain nombre de questions en plan. Notre but premier est ici d'approfondir les thèses esquissées dans le chapitre 7 du rapport final et de poursuivre la réflexion dans de nouvelles directions. Tout semble indiquer que les recherches actuelles en sciences humaines et sociales sur la laïcité, sur les différentes formes de l'expérience religieuse et sur l'aménagement de la diversité des croyances (séculières, religieuses et spirituelles) sont en voie de connaître un renouveau théorique important, auquel nous souhaitons contribuer.

Nous tenons à remercier Gérard Bouchard, coprésident de la CCPARDC et coauteur du rapport final, pour la compréhension dont il a fait preuve à l'égard de notre projet. Il va sans dire que les idées exprimées dans le présent livre n'engagent que les auteurs. La CCPARDC, même si elle a mené ses activités dans un contexte social et politique parfois difficile, s'est avérée une occasion d'apprentissage et de dialogue extraordinaire. Nous remercions tous ceux qui y ont été associés, en particulier son personnel et son comité d'experts. Nous avons aussi beaucoup bénéficié des discussions que nous avons eues avec plusieurs collègues au cours des dernières années, dont Micheline Milot, Jean Baubérot, Rajeev Bhargava, Tariq Modood, Daniel Weinstock, Pierre Bosset et José Woehrling. Nous remercions également François Côté-Vaillancourt et Julien Delangie pour leur précieux travail d'assistants de recherche, ainsi que toute l'équipe des éditions du Boréal, dont Jean-Philippe Warren et Jean Bernier, pour leurs commentaires sur le manuscrit et pour leur professionnalisme. Nous remercions enfin Isabelle et Aube pour leur infaillible et inestimable soutien.

Introduction

L'aménagement de la diversité morale et religieuse est un des défis les plus importants auxquels ont à faire face les sociétés contemporaines. La question des «accommodements raisonnables» soulève les passions au Québec depuis 2006. Il va sans dire que ce coin de pays n'est pas seul à devoir relever un tel défi. Le Canada dans son ensemble a été aux prises avec des enjeux délicats comme l'arbitrage privé fondé sur la charia en matière de droit de la famille et le statut juridique des unions polygames. Ailleurs dans le monde, la France a connu ses crises du foulard, et, plus récemment, l'apologie par le président Sarkozy de la «laïcité positive» a relancé le débat sur les rapports entre le politique et le religieux. La Grande-Bretagne s'est interrogée sur l'intégration des immigrants musulmans et de leurs enfants à la société britannique dans la foulée des attentats de Londres du 7 juillet 2005. Les piliers du multiculturalisme communautariste néerlandais ont été ébranlés par l'assassinat du cinéaste Theo Van Gogh par un extrémiste se réclamant de l'islam. Les Espagnols et les Italiens s'interrogent sur le rapport entre la morale catholique et des enjeux d'éthique sexuelle et de bioéthique comme l'avortement, le suicide assisté et les droits des conjoints de même sexe. Le Danemark a été, lors de la controverse au sujet des caricatures de Mahomet, l'épicentre d'un débat mondial sur les limites de la liberté d'expression et le bien-fondé des lois antiblasphématoires. Aux États-Unis, la place des convictions religieuses dans le débat public et le sens de la séparation entre l'État et les Églises font l'objet d'une réflexion soutenue et passionnée. En Turquie, le régime de laïcité fortement républicain mis en place au début du xxe siècle sous Atatürk est appelé à s'ouvrir depuis que l'AKP, un parti politique mené par des musulmans pratiquants, a été élu en 2002. Enfin, la démocratie indienne, tout en faisant la démonstration que la tolérance religieuse est possible même dans les pays présentant une extraordinaire diversité religieuse et spirituelle, est ponctuellement mise à l'épreuve par un parti nationaliste hindou important — le BJP — qui cherche à fondre l'identité nationale indienne dans la tradition hindoue, remettant ainsi en question la séparation entre l'État indien et la religion de la majorité[1].

Par delà ces tiraillements et tensions, un large consensus règne quant à l'idée que la « laïcité » est une composante essentielle de toute démocratie libérale composée de citoyens qui adhèrent à une pluralité de conceptions du monde et du bien, que ces conceptions soient religieuses, spirituelles ou séculières. Mais qu'est-ce que la laïcité ? Si l'on s'entend généralement pour dire qu'il s'agit d'un régime politique et juridique dont la fonction est d'instituer une certaine distance entre l'État et la religion, les désaccords surgissent dès qu'il est temps de la définir de façon plus précise.

Plusieurs soutiennent que la laïcité est un principe

clair et non équivoque devant s'appliquer partout de la même façon. La solution au débat sur la place de la religion dans l'espace public serait ainsi assez simple : il s'agirait d'appliquer le principe de laïcité de façon rigoureuse. Cette position présuppose que la laïcité se laisse aisément définir par des formules comme la « séparation de l'Église et de l'État », la « neutralité de l'État » ou la distinction entre « sphère publique » et « sphère privée » et la relégation de la religion dans cette dernière. Pourtant, le sens et les implications de la laïcité ne sont simples qu'en apparence. Quoique ces définitions contiennent toutes des éléments de vérité, aucune n'épuise à elle seule le sens de la laïcité. Chacune comporte des zones grises et des tensions, parfois même des contradictions, qu'il faut clarifier afin de pouvoir déterminer ce que signifie l'exigence de laïcité de l'État.

Comme nous le verrons, la laïcité est complexe, car elle est faite d'un ensemble de finalités et d'arrangements institutionnels. Or, bien que des travaux récents en sciences sociales, en droit et en philosophie aient permis des avancées majeures sur le plan de la compréhension de la laïcité comme mode de gouvernance, nous soutiendrons qu'une analyse conceptuelle adéquate des principes constitutifs de la laïcité fait toujours défaut. Nous tenterons de remédier à cette lacune. Cependant, le but de notre ouvrage n'est pas uniquement de proposer une conceptualisation de la laïcité qui nous semble plus adéquate. Nous chercherons aussi à démontrer qu'une conceptualisation plus précise permet de mieux cerner les options qui s'offrent aux sociétés lorsqu'elles font face à des dilemmes reliés à l'aménagement de la diversité morale et religieuse, qu'il s'agisse du rapport approprié entre la religion majoritaire et les normes et institutions publiques, de la légitimité des demandes d'accommodement fondées sur des croyances religieuses, de la place des convictions religieuses dans les délibérations publiques ou du rapport entre la liberté de conscience et la liberté de religion. Nous prendrons ainsi appui sur la conceptualisation proposée aux chapitres 1 et 2 pour réfléchir aux désaccords éthiques et politiques relatifs à la place de la religion dans l'espace public.

Nous avancerons que le respect de l'égalité morale des individus et la protection de la liberté de conscience et de religion constituent les deux grandes finalités de la laïcité aujourd'hui. Le sens et les implications des principes de respect égal et de liberté de conscience peuvent toutefois être compris de différentes façons. L'égalité morale et la liberté de conscience justifient-elles, dans certains cas, que des mesures d'ajustement ou d'exemption soient consenties à certaines personnes afin qu'elles puissent pratiquer leur religion? Ces accommodements sont-ils des traitements de faveur incompatibles avec une compréhension adéquate de la justice sociale? Si les croyances religieuses justifient parfois des pratiques d'accommodement, qu'en est-il des croyances non religieuses? Comment, en d'autres termes, assurer l'égalité de traitement entre les personnes religieuses et non religieuses? Doit-on traiter les « convictions profondes », qu'elles soient religieuses ou séculières, comme les autres préférences personnelles des individus ou doit-on leur attribuer un statut moral et juridique particulier? Comment les tribunaux devraient-ils interpréter le principe de la liberté de conscience et de religion? C'est à ce genre de questions que nous consacrons la deuxième partie du livre.

Nous soutiendrons, tout au long du présent ouvrage, que la laïcité doit aujourd'hui se comprendre dans le cadre plus large de la diversité des croyances et des valeurs auxquelles adhèrent les citoyens. Ce n'est qu'assez récemment que le modèle d'une société politique fondée, d'une part, sur un accord quant aux principes politiques de base et, d'autre part, sur le respect de la pluralité des perspectives philosophiques, religieuses et morales adoptées par les citoyens s'est imposé comme le modèle le plus susceptible de mener à un vivre-ensemble juste et suffisamment harmonieux. Bien sûr, le paradigme de la tolérance religieuse, qui a graduellement permis, au début de la période moderne, de pacifier une Europe éprouvée par les conflits religieux, a préparé le chemin pour ce type de sociétés pluralistes, mais, comme nous le verrons, la tolérance religieuse est longtemps allée de pair avec l'exclusion ou la marginalisation de certains groupes — les catholiques en Angleterre et aux États-Unis par exemple — et avec l'attribution d'un statut préférentiel à la religion par rapport aux conceptions séculières du monde. Inversement, la laïcité a parfois été conçue comme une position résolument antireligieuse, comme ce fut le cas dans l'ancienne Union soviétique et à certains moments de l'histoire française.

Collectivement, nous avons encore beaucoup à faire pour comprendre comment la justice sociale et l'unité politique peuvent être atteintes dans des sociétés traversées par des divergences et des désaccords philosophiques profonds et, autant que l'on puisse en juger, irréductibles. Nous souhaitons réfléchir ici aux principes fondamentaux pouvant permettre la coopération sociale dans les sociétés marquées par une diversité profonde, aux implications institutionnelles de ces principes, ainsi qu'à l'éthos ou l'éthique citoyenne qui sont les plus susceptibles de soutenir ces normes et institutions.

PREMIÈRE PARTIE

Penser la laïcité

I

Pluralisme moral, neutralité et laïcité

Les rapports entre le pouvoir politique et les religions sont complexes et variés dans les démocraties libérales modernes. Ces démocraties, même celles qui continuent, souvent symboliquement, de reconnaître une Église officielle, vivent néanmoins sous ce que l'on peut appeler un « régime de laïcité ». Dans une société à la fois égalitaire et diversifiée, l'État et les Églises doivent être séparés, et le pouvoir politique doit être neutre envers les religions. L'établissement, comme dans la tradition de la chrétienté, d'un lien organique entre l'État et une religion ferait des adhérents aux autres religions et de ceux qui sont sans religion des citoyens de second rang. L'État démocratique doit donc être neutre ou impartial dans ses rapports avec les différentes religions. Il doit aussi traiter de façon égale les citoyens qui agissent en fonction de croyances religieuses et ceux qui ne le font pas; il doit, en d'autres termes, être neutre par rapport aux différentes visions du monde et aux conceptions du bien séculières, spirituelles et religieuses auxquelles les citoyens s'identifient. La diversité religieuse doit être vue comme un aspect du phénomène du « pluralisme moral » avec lequel les démocraties contemporaines doivent composer. Le « pluralisme moral» réfère au fait pour les individus d'adopter des conceptions du bien et des systèmes de valeurs différents et parfois incompatibles[1].

Le fait que les individus contemporains se rapportent à une pluralité de conceptions du monde et de plans de vie ne poserait pas problème si nous avions accès à une perspective surplombante non controversée qui nous permettrait de hiérarchiser ou d'ordonner les différents points de vue épousés par les citoyens. Mais quelle perspective pourrait prétendre à ce titre aujourd'hui? Si le pluralisme moral est l'une des préoccupations centrales de la philosophie politique contemporaine, c'est qu'il se trouve à la source des désaccords les plus profonds et complexes entre les citoyens. Les désaccords au sujet des avancées de la science dans le domaine de la génétique, de l'enseignement de la religion à l'école ou de l'intervention de l'État dans l'économie s'enracinent la plupart du temps dans des conceptions de l'être humain ou dans des schèmes de valeurs divergents.

Ce que le philosophe américain John Rawls a appelé le «fait du pluralisme raisonnable» tire son origine de la reconnaissance des limites de la rationalité quant à sa capacité à statuer sur les questions du sens ultime de l'existence et de la nature de l'épanouissement humain. La reconnaissance de l'indétermination et de la faillibilité de la raison humaine devant la question «Qu'est-ce qu'une vie réussie?» a amené des philosophes libéraux comme John Locke et John Stuart Mill à défendre le principe de la souveraineté de la conscience individuelle ou de l'«auto-nomie morale» de la personne[2]. L'État reconnaît l'autorité ultime de l'agent quant à l'ensemble de ses croyances qui lui permettront d'interpréter le monde et sa place dans ce dernier et d'exercer sa faculté de juger lorsqu'il fait face à des dilemmes moraux ou identitaires. Plutôt que d'imposer aux individus une représentation (religieuse ou séculière) du monde et du bien, l'État cherche à favoriser le développement de leur autonomie et à protéger leur liberté de conscience. Or, comme le souligne Rawls, il ne faut pas s'étonner que, dans des sociétés qui encouragent le développement des facultés rationnelles des personnes et qui se donnent des institutions pour protéger la liberté de pensée, de conscience et d'expression, les individus en viennent à adopter des conceptions différentes de ce qu'est une vie qui vaut la peine d'être vécue[3].

La question de la laïcité doit donc être abordée dans le cadre de la problématique plus large de la nécessaire neutralité de l'État par rapport aux multiples valeurs, croyances et plans de vie des citoyens dans les sociétés modernes.

Cette exigence de neutralité doit toutefois être précisée davantage. Un État libéral et démocratique ne saurait demeurer indifférent à l'égard de certains principes fondamentaux comme la dignité humaine, les droits de la personne ou la souveraineté populaire. Ce sont les valeurs *constitutives* des régimes démocratiques et libéraux; elles leur procurent leurs fondements et leurs finalités.

Ces valeurs sont légitimes même si elles ne sont pas neutres, car ce sont elles qui permettent aux citoyens épousant des conceptions très variées du monde et du bien de vivre ensemble de façon pacifique[4]. Elles permettent aux individus d'être souverains quant à leurs choix de conscience et de définir leur propre plan de vie, dans le respect du droit des autres d'en faire autant. C'est pourquoi des personnes aux convictions religieuses, métaphysiques et séculières très diverses peuvent partager et affirmer ces valeurs constitutives. Elles s'y rendent par des chemins souvent très différents, mais elles s'entendent néanmoins pour les défendre. La présence de ce que Rawls appelle un « consensus par recoupement » sur les valeurs publiques de base est la condition d'existence des sociétés pluralistes[5]. Un chrétien pourra par exemple défendre les droits et libertés de la personne en invoquant l'idée que l'être humain a été créé à l'image de Dieu ; un rationaliste kantien dira qu'il faut reconnaître et protéger la dignité égale des êtres rationnels ; un utilitariste soutiendra qu'il faut chercher à maximiser le bonheur des êtres sensibles capables à la fois de plaisir et de souffrance ; un bouddhiste invoquera le principe fondamental d'*ahimsa,* la non-violence ; alors qu'un autochtone ou un *deep ecologist* se rapportant à une conception holiste du monde soutiendra que les êtres vivants et les forces naturelles se trouvent dans un rapport de complémentarité et d'interdépendance et qu'il faut conséquemment accorder à chacun d'entre eux un respect égal, y compris aux êtres humains. Toutes ces personnes s'entendent sur le principe sans pouvoir se mettre d'accord sur les raisons qui le justifient. Le défi des sociétés contemporaines est de faire en sorte qu'elles puissent toutes en arriver à voir les principes de base de l'association politique comme étant légitimes à partir de leur propre perspective.

En conséquence, l'État qui s'identifie à ces principes politiques communs ne saurait faire sien aucun des « engagements fondamentaux » ou des « convictions fondamentales » — qui sont multiples et parfois difficilement conciliables — qu'épousent les citoyens. Nous entendons par convictions ou engagements fondamentaux les raisons, évaluations ou motifs, issus des conceptions du monde et du bien adoptées par les individus, qui leur permettent de comprendre le monde qui les entoure et de donner un sens et une direction à leur vie. C'est en se donnant des valeurs, en les hiérarchisant ou en les conciliant et en précisant les projets qui en découlent que les êtres humains arrivent à structurer leur existence, à exercer leur jugement et à guider leur conduite — bref, à se constituer une identité *morale*[6]. Comme nous le verrons, les engagements fondamentaux, que nous appellerons aussi « convictions de conscience », incluent à la fois les croyances profondes religieuses *et* séculières, et ils se distinguent des « préférences », légitimes mais moins fondamentales, que nous manifestons en tant qu'individu.

Il est probable que la majorité des individus s'appuient sur des raisons qu'ils ont plus ou moins explicitées et, surtout, que ces raisons ne fassent pas partie d'un système de convictions religieuses ou séculières complet et englobant. D'autres se rapporteront néanmoins à de tels systèmes plus totalisants. Mais que leurs convictions profondes soient implicites ou explicites, systématisées ou non, elles jouent un rôle prépondérant dans la vie des personnes. C'est en se rapportant à ces convictions et engagements que nous prenons les décisions importantes de notre vie. Or, dans une société où il n'y a pas de consensus sur les convictions fondamentales, l'État doit éviter de hiérarchiser les conceptions du monde et de la vie bonne qui motivent l'adhésion des citoyens aux principes de base de leur association politique. Dans le domaine des convictions et des engagements fondamentaux, l'État, pour être véritablement l'État de tout le monde, doit rester « neutre ».

Cela implique que l'État adopte une position de neutralité non seulement envers les religions, mais aussi envers les différentes conceptions philosophiques qui se présentent comme les équivalents séculiers des religions. En effet, un régime qui remplace, au fondement de son action, la religion par une philosophie séculière totalisante fait de tous les fidèles d'une religion des citoyens de second rang, puisqu'ils n'épousent pas les raisons et les évaluations enchâssées dans la philosophie officiellement reconnue. En d'autres termes, ce régime remplace la religion établie, ainsi que les croyances fondamentales qui la définissent, par une philosophie morale séculière mais antireligieuse qui établit à son tour un ordre de croyances métaphysiques et morales.

La tentation de faire de la laïcité l'équivalent séculier de la religion est généralement plus forte dans les pays où la laïcisation s'est accomplie au prix d'une âpre lutte contre une religion dominante ; pensons, par exemple, à l'Église catholique de la Restauration dans le cas de la France et à l'islam de l'ex-Califat dans celui de la Turquie. Il est possible que ce soit en raison du sentiment, assez largement répandu, que la laïcité fut gagnée au Québec de haute lutte contre l'Église catholique que des Québécois éprouvent aujourd'hui de la sympathie pour une certaine version de la laïcité française et turque. Cette forme de laïcité se félicite de sa neutralité envers les différentes religions, mais elle n'adopte pas une véritable position de neutralité sur le plan des conceptions du monde et du bien. Au contraire, elle fait appel, dans sa forme la plus radicale, à une « morale indépendante » fondée sur les principes de la raison et sur une conception particulière de la nature humaine[7]. Ce genre de régime remplace la religion établie par une philosophie morale laïciste. Une telle philosophie morale et politique est, pour reprendre l'expression de Jean-Jacques Rousseau, une « religion civile ». La France de la IIIe République, telle qu'imaginée par les radicaux à la fin du XIXe et au début du XXe siècle, est un exemple d'un régime républicain fondé sur une religion civile.

Marcel Gauchet a montré comment le philosophe français Renouvier concevait les fondements de la politique des radicaux de la Troisième République dans leur lutte contre l'Église. L'État, selon Renouvier, devait être « moral et enseignant » puisqu'il avait « charge d'âmes aussi bien que toute Église ou communauté, mais à titre plus universel ». Pour ne pas être soumis à l'Église, l'État se devait d'adopter « une morale indépendante de toute religion », dont le fondement était la liberté, et jouir d'une « suprématie morale » par rapport à toutes les religions. Pour assurer cette suprématie, la morale de l'État devait jouir d'un fondement plus robuste que ceux offerts par les thèses éthiques utilitaristes et sentimentalistes. Elle avait besoin d'une « théologie rationnelle » s'apparentant, par exemple, à la philosophie morale de Kant[8].

Or, si on se reporte au développement précédent sur la nécessaire neutralité de l'État par rapport aux conceptions de la vie bonne, le remplacement d'un fondement religieux du vivre-ensemble par une conception philosophique séculière englobante pose problème, car la conception du monde et de la nature humaine qui lui est sous-jacente n'est pas susceptible d'être partagée par l'ensemble des citoyens, dont plusieurs demeurent religieux. L'essentiel est que les citoyens se rejoignent, à partir de leur propre perspective, sur un ensemble de principes communs capables d'assurer la coopération sociale et la stabilité politique. Le vivre-ensemble prendra donc appui non pas sur l'équivalent séculier d'une doctrine religieuse, mais bien sur le stock de valeurs et de principes qui peut faire l'objet d'un consensus par recoupement. L'appui sur les valeurs publiques communes vise à assurer l'égalité morale des citoyens en faisant en sorte qu'ils puissent tous, potentiellement, épouser les grandes orientations de l'État à partir de leur propre conception du monde et du bien.

Ces développements nous rappellent qu'il faut éviter de confondre la *laïcisation* d'un régime politique et la *sécularisation* d'une société. Bien que cette distinction appelle plusieurs nuances, on peut dire que la laïcisation est le processus à la faveur duquel l'État affirme son indépendance par rapport à la religion, alors que l'une des composantes de la sécularisation est l'érosion de l'influence de la religion dans les pratiques sociales et dans la conduite de la vie individuelle[9]. Si la laïcisation est un processus politique qui s'inscrit dans le droit positif, la sécularisation est plutôt un phénomène sociologique qui s'incarne dans les conceptions du monde et les modes de vie des personnes. Selon les développements précédents sur la nécessaire neutralité de l'État par rapport aux conceptions du bien et aux convictions de conscience, l'État doit chercher à se laïciser sans pour autant promouvoir la sécularisation.

Cela dit, il est clair que cette neutralité de l'État n'imposera pas un fardeau égal à tous les citoyens. L'État libéral défend par exemple le principe suivant lequel les individus sont considérés comme des agents moraux autonomes, libres de définir leur propre conception de la vie bonne. L'État favorisera ainsi le développement de l'autonomie critique des élèves à l'école. En encourageant le développement de l'autonomie et en exposant les élèves à une pluralité de visions du monde et de modes de vie, l'État démocratique et libéral rend la tâche plus difficile aux parents qui cherchent à transmettre un univers particulier de croyances à leurs enfants et, encore davantage, aux groupes qui souhaitent se soustraire à l'influence de la société majoritaire afin de perpétuer un style de vie basé davantage sur le respect de la tradition que sur l'autonomie individuelle et l'exercice du jugement critique. La neutralité de l'État n'est donc pas intégrale[10].

Comme nous l'avons vu, ce parti pris en faveur de certaines valeurs de base est *constitutif* des démocraties libérales. Il ne s'agit pas tant ici de remettre en question ce parti pris que de prendre conscience que la neutralité de l'État démocratique et libéral ne peut, par définition, être absolue. En étant neutre par rapport aux systèmes de croyances et de valeurs des citoyens, l'État *défend* leur égalité et leur liberté de poursuivre leurs propres finalités. L'État prend donc parti en faveur de l'égalité et de l'autonomie des citoyens en leur permettant de choisir leur plan et leur mode de vie. Ce faisant, le croyant ou l'athée peut vivre selon ses convictions, mais il ne peut imposer aux autres sa conception du monde.

En prenant un peu de recul, on constate que l'idéal d'une société dans laquelle les citoyens en arrivent à un «consensus par recoupement» sur les principes politiques de base, en dépit du fait qu'ils adhèrent à des conceptions variées de ce qu'est une vie réussie, est apparu récemment dans l'histoire. Ce modèle se démarque nettement du type de société où les ferments de l'unité sociale sont trouvés dans la religion commune et dans l'accord concernant le sens et les buts ultimes de la vie[11]. Cette exigence d'unanimité est peut-être la plus clairement exprimée dans les termes de la paix religieuse rétablie en Allemagne après la réforme protestante du XVIe siècle : *cujus regio, ejus religio.* La confession du peuple doit être la même que celle du prince. Toute dissidence est vue comme minant la légitimité de l'État et sa capacité d'assurer la stabilité et l'unité du pays.

Le passage d'un type d'unité à l'autre ne se fait pas sans difficulté. Des régimes politiques non chrétiens, dans certains cas officiellement athées, ont cherché à fonder l'unité nationale sur une philosophie séculière à laquelle tous les citoyens devaient se rallier ; pensons, par exemple, au jacobinisme et à certains régimes communistes ou nationalistes. Dans ces cas, la religion est expédiée, mais la prémisse de la nécessité d'une vision du monde commune demeure bien en place.

Le modèle selon lequel l'unité de la communauté politique est fondée sur l'adhésion des citoyens à des principes politiques partagés, malgré leurs divergences sur les raisons profondes, est radicalement différent[12]. Une telle société est consciente non seulement du fait que son unité ne se trouve pas dans l'unanimité sur le sens et les buts de l'existence, mais aussi du fait que toute tentative allant dans le sens d'une telle uniformisation entraînerait des conséquences dévastatrices pour la paix sociale. Toutes les sociétés occidentales doivent ainsi apprendre à trouver ailleurs que dans l'unanimité philosophique les ressorts de leur unité. Ce passage n'est pas facile, et sa nécessité est parfois contestée, comme c'est le cas aujourd'hui aux États-Unis et dans plusieurs pays européens où des représentants de la droite politique avancent que seul un retour à une unité morale perdue peut contrer la dégénérescence identitaire appréhendée.

Il ne semble pas exagéré de dire que le Québec francophone d'avant les années 1960 incarnait dans une certaine mesure ce modèle de la chrétienté. Bien qu'aucune Église n'était établie par la loi, le puissant courant du nationalisme catholique canadien-français agissait comme une vision commune à laquelle la collectivité devait se rallier ; ce ralliement était vu comme une condition nécessaire à la survie de la culture canadienne-française. La religion catholique était un marqueur fondamental de l'identité de la nation. Ce courant a été fortement contesté par ceux qui ont préparé le terrain à la Révolution tranquille, mais, à nouveau, la prémisse voulant que l'unité nationale exige l'unanimité sur les finalités collectives a conservé une certaine emprise sur les esprits.

2

Les principes de la laïcité

La laïcité doit donc être comprise dans le contexte de l'idéal plus général de neutralité auquel l'État doit aspirer s'il veut traiter les citoyens de façon juste. La laïcité est l'une des modalités du régime de gouvernance permettant aux États démocratiques et libéraux d'accorder un respect égal à des individus ayant des visions du monde et des schèmes de valeurs différents. Mais, plus précisément, qu'est-ce que la laïcité? La laïcité ne se laisse pas saisir par des formules simples comme la « séparation de l'Église et de l'État », la « neutralité de l'État à l'égard des religions » ou la « sortie de la religion de l'espace public », même si toutes ces formules recèlent une part de vérité. La laïcité repose plutôt sur une pluralité de principes, chacun remplissant des fonctions particulières.

Ce qu'il importe de comprendre est que la laïcité est faite d'un ensemble de valeurs *et* de moyens ou de « modes opératoires » qui sont si intimement liés qu'il est difficile de les séparer. D'ailleurs, une des sources des impasses dans les débats tant théoriques que pratiques sur la laïcité réside à notre avis dans le fait que les finalités et les modes opératoires de la laïcité ne sont pas assez clairement distingués. Cela peut faire en sorte que ce qui relève des moyens en vient à prendre un statut équivalent ou même supérieur à celui des buts que cherche à atteindre l'État laïque.

La laïcité repose selon nous sur deux grands principes, soit l'égalité de respect et la liberté de conscience, ainsi que sur deux modes opératoires qui permettent la réalisation de ces principes, à savoir la séparation de l'Église et de l'État et la neutralité de l'État à l'égard des religions. Les modes opératoires de la laïcité ne sont pas que des moyens contingents dont on peut faire l'économie. Au contraire, ils sont des arrangements institutionnels indispensables. Comme nous le verrons, ils peuvent toutefois être interprétés de différentes façons et s'avérer plus ou moins permissifs ou restrictifs eu égard à la pratique religieuse.

Un régime démocratique reconnaît, sur le plan des principes, une valeur morale ou une dignité égale à tous les citoyens et cherche par conséquent à leur accorder le même respect. La réalisation de cette visée exige la séparation de l'Église et de l'État et la neutralité de l'État par rapport aux religions et aux mouvements de pensée séculiers. D'une part, comme l'État doit être l'État de tous les citoyens et que ceux-ci adoptent une pluralité de conceptions du monde et du bien, il ne doit pas s'identifier à une religion ou à une vision du monde particulière. C'est pour cela que l'État et la religion doivent être « séparés ». L'État doit être souverain dans ses champs de compétences. La fusion entre le pouvoir politique et une conception religieuse ou séculière du monde fait des personnes qui n'épousent pas la doctrine officielle de l'État des citoyens de deuxième ordre[1].

D'autre part, le principe du respect égal exige aussi

que l'État soit « neutre » à l'égard des religions et des autres convictions profondes ; il ne doit en favoriser ni en défavoriser aucune. Pour accorder un respect égal à tous les citoyens, l'État doit être capable de justifier auprès de chacun d'eux les décisions qu'il prend, ce qu'il ne pourra faire s'il favorise une conception particulière du monde et du bien[2]. Les raisons justifiant son action doivent être « laïques » ou « publiques », c'est-à-dire dérivées de ce que nous pourrions appeler une « morale politique minimale », et potentiellement acceptables par tous les citoyens[3].

L'égalité de respect n'est toutefois pas l'unique finalité de la laïcité. Comme le fait remarquer Martha Nussbaum, un État restreignant significativement la liberté de conscience de tous les citoyens pourrait néanmoins les traiter avec une égale considération[4]. La mise en place d'un État laïque vise donc également la protection de la liberté de conscience des citoyens. Se montrant « agnostique » sur la question des finalités de l'existence humaine, l'État laïque reconnaît la souveraineté de la personne quant à ses choix de conscience. Les conceptions du monde et du bien ont été historiquement l'objet de désaccords profonds, et rien ne laisse envisager une modification de cette donnée structurante de la vie moderne. Comme nous l'avons vu plus haut, rien ne nous permet de croire que la raison pratique ait la capacité de statuer sur la question des finalités ultimes de l'existence[5]. Plutôt que de dicter une conception du monde et du bien aux individus, l'État laïque respecte leur liberté de conscience ou leur autonomie morale, à savoir leur droit de mener leur vie à la lumière de leurs propres choix de conscience. Il cherchera aussi à défendre cette liberté de conscience lorsqu'elle est illégitimement entravée, au même titre qu'il défend l'égalité entre les femmes et les hommes ou la liberté d'expression. C'est dans cette optique, comme nous le verrons, que les accommodements religieux sont parfois justifiés.

Que la laïcité vise le respect égal des citoyens et la protection de la liberté de conscience devient encore plus patent si l'on tient compte de son développement historique en Occident. Les principes de séparation et de neutralité sont nés des déboires des régimes uniconfessionnels instaurés dans le but de mettre fin aux guerres de religion. Il fallait redéfinir l'État non plus comme un instrument aux mains des catholiques ou des protestants, mais comme un pouvoir public commun au service des citoyens des deux confessions. Ces premiers pas vers la neutralité, aussi hésitants et partiels qu'ils aient été au début, allaient de pair avec la mise en place de régimes de tolérance religieuse permettant une plus grande liberté dans l'exercice des cultes auparavant interdits. S'inscrivant dans cette foulée, le premier amendement de la Constitution américaine stipule qu'aucune loi établissant une religion ou interdisant la libre pratique (*free exercice*) d'une religion ne peut être adoptée par le Congrès. De même, la loi française de 1905 sur la laïcité effectue la séparation de l'Église et de l'État tout en édictant la liberté de culte pour tous les citoyens. Dans ces deux cas, la séparation et la neutralité visent à assurer l'égalité des citoyens et vont de pair avec la reconnaissance et la protection de la liberté de conscience et de religion des individus.

On pourrait ainsi dire, avec Micheline Milot, que la laïcité est « un aménagement (progressif) du politique en vertu duquel la liberté de religion et la liberté de conscience se trouvent, conformément à une volonté d'égale justice pour tous, garanties par un État neutre à l'égard des différentes conceptions de la vie bonne qui coexistent dans la société[6]». La laïcité est un mode de gouvernance politique qui repose sur deux grands principes — l'égalité de respect et la liberté de conscience — et deux modes opératoires — la séparation de l'Église et de l'État, et la neutralité de l'État envers les religions et les mouvements de pensée séculiers.

Si certains auteurs ont vu avec justesse que les régimes laïques reposent sur des équilibres délicats entre des principes distincts, nous croyons que les fins et les moyens de la laïcité n'ont pas été distingués avec suffisamment de clarté dans les travaux universitaires pertinents en sciences sociales, en droit et en philosophie. En guise d'exemple, Nussbaum considère que le modèle américain de laïcité et de liberté de conscience est fondé sur les six principes suivants : l'égalité, le respect égal accordé à chaque personne, la liberté de conscience, l'accommodement, le non-établissement et la séparation[7]. Dans le rapport Stasi sur l'application du principe de la laïcité en France, la laïcité est présentée comme reposant sur trois principes : la liberté de conscience, l'égalité en droit des options spirituelles et religieuses, et la neutralité du pouvoir politique[8]. Toutes ces définitions ont le mérite de reconnaître que la laïcité est fondée sur une pluralité de principes. Une analyse conceptuelle serrée nous permet néanmoins de faire un pas de plus. Les principes de la laïcité ne sont pas tous de même type. Le respect égal et la liberté de conscience sont des principes moraux qui ont pour fonction de réguler notre agir (ou, dans le cas qui nous occupe, l'action de l'État), alors que la neutralité, la séparation et l'accommodement sont ce que l'on pourrait appeler des « principes institutionnels » découlant des principes de respect égal et de liberté de conscience. De façon analogue, le principe de la séparation des pouvoirs exécutif, législatif et judiciaire n'est pas un principe moral. Il s'agit d'un arrangement institutionnel indispensable visant, comme Locke et Montesquieu l'ont montré, à préserver la liberté des citoyens et à éviter la tyrannie. La valeur des « principes institutionnels » est dérivée plutôt qu'intrinsèque ; ce sont des moyens essentiels à la réalisation de finalités proprement morales.

On prend mieux la mesure de la complexité inhérente à la laïcité lorsqu'on constate qu'elle comporte un ensemble de finalités et de modes opératoires qui peuvent entrer en conflit. Des tensions peuvent survenir, notamment, entre le respect de l'égalité morale et la protection de la liberté de conscience et de religion. Le port du foulard en classe par une enseignante musulmane peut, par exemple, être vu comme compromettant la neutralité de l'école publique, ce qui serait une dérogation à la norme voulant que les institutions publiques traitent tous les citoyens de façon égale. En contrepartie, empêcher l'enseignante de porter le foulard constitue une atteinte à sa liberté de religion. Comment concilier l'apparence de neutralité dont doivent faire preuve les institutions publiques et le respect de la liberté de religion ? Nous reviendrons sur cette question plus loin, mais le fait que deux pays européens où le cas s'est présenté — l'Allemagne et l'Angleterre — aient résolu la question différemment révèle qu'il s'agit là d'un cas difficile[9].

En conséquence, on doit reconnaître que les finalités

et les modes opératoires de la laïcité ne peuvent, dans certaines situations, être harmonisés parfaitement; il faut alors chercher les compromis qui favorisent une compatibilité maximale entre ces idéaux. Le fait que la laïcité n'est pas un principe simple et unique a pour effet de générer des dilemmes que doivent résoudre les États laïques. Cette possibilité de conflits entre les principes constitutifs de la laïcité semble pourtant échapper à certains observateurs. Bien qu'il ait conscience que la laïcité repose sur une pluralité de principes, le philosophe français Henri Pena-Ruiz laisse entendre, dans sa critique de la notion de « laïcité ouverte », que la laïcité est un principe monolithique qu'on n'a qu'à appliquer correctement.

La laïcité, rappelons-le, c'est l'affirmation simultanée de trois valeurs qui sont aussi des principes d'organisation politique : la liberté de conscience fondée sur l'autonomie de la personne et de sa sphère privée, la pleine égalité des athées et des agnostiques et des divers croyants, et le souci d'universalité de la sphère publique, la loi commune ne devant promouvoir que ce qui est d'intérêt commun à tous. Ainsi comprise, la laïcité n'a pas à s'ouvrir ou à se fermer. Elle doit vivre, tout simplement, sans aucun empiètement sur les principes qui font d'elle un idéal de concorde, ouvert à tous sans discrimination. La notion de laïcité ouverte est maniée par ceux qui, en réalité, contestent la vraie laïcité mais n'osent pas s'opposer franchement aux valeurs qui la définissent. Que pourrait signifier ouvrir la laïcité, sinon mettre en cause un de ses trois principes constitutifs, voire les trois en même temps? Qu'on en juge[10].

La possibilité, pourtant réelle, que les principes de la laïcité puissent entrer en conflit est éludée par Pena-Ruiz. C'est pourtant cette réalité structurelle qui est à l'origine des dilemmes les plus délicats qu'ont à résoudre les États laïques. Pour revenir au cas discuté plus haut, interdire le port du hidjab à l'enseignante accentue l'apparence de neutralité de l'institution scolaire, mais cela restreint sa liberté de conscience et de religion, ou met à mal le principe d'égalité des chances en lui fermant les portes d'une carrière grâce à laquelle elle aurait pu apporter sa contribution à la société. Quelles que soient l'exactitude des définitions et la justesse et la cohérence des principes retenus, il y aura toujours des cas limites qui seront difficiles à trancher.

Nous avons donc choisi de caractériser l'ensemble des régimes politiques qui visent à réaliser les principes de respect égal et de liberté de conscience comme des « régimes de laïcité ». Il s'agit d'une conception large de la laïcité. Certains chercheurs en sciences sociales préfèrent distinguer les types de rapports entre l'État et l'Église en se référant à des régimes d'« établissement », de « séparation » et d'« association ». Dans cette typologie, la laïcité est comprise comme un régime de « séparation ». Si ces distinctions peuvent être utiles dans certains contextes pour faire ressortir des différences entre les régimes, elles tendent à dissimuler le fait que les démocraties libérales cherchent toutes, avec plus ou moins de succès, à réaliser les deux finalités de la laïcité et qu'elles comportent toutes des éléments de « séparation » et d'« association » avec les Églises. Les quelques pays occidentaux qui continuent de reconnaître une Église officielle (le Royaume-Uni et le

Danemark, par exemple) sont des régimes d'«établisse-ment» très atténué et ils cherchent à respecter les principes de respect égal et de liberté de conscience, alors que les régimes de «séparation» (les États-Unis, la France) accordent dans les faits des formes de reconnaissance aux Églises. C'est pourquoi nous préférons parler de «régimes de laïcité», qui, tout en visant la réalisation des deux finalités évoquées, déploient différentes formes de séparation et de reconnaissance des religions[11]. Notre choix conceptuel est fondé sur les fins du mode de gouvernance politique qu'est la laïcité plutôt que sur ses modes opératoires.

3

Les régimes de laïcité

Les régimes de laïcité dans le monde sont généralement catégorisés en fonction du rapport qu'ils entretiennent avec la pratique religieuse. On dira, par exemple, que la laïcité est plus ou moins « rigide » et « sévère » ou « souple » et « ouverte » selon la manière dont sont résolus les dilemmes qui se posent lorsque les principes et les modes opératoires de la laïcité entrent en conflit. Une forme de laïcité plus rigide permet une restriction plus grande du libre exercice de la religion au nom d'une certaine compréhension de la neutralité de l'État et de la séparation des pouvoirs politique et religieux, alors qu'une laïcité « ouverte » défend un modèle axé sur la protection de la liberté de conscience et de religion, ainsi qu'une conception plus souple de la séparation et de la neutralité. On pourrait aussi parler de régimes « républicains » et « libéraux » ou « pluralistes » de la laïcité. Il est sans doute possible de placer les régimes de laïcité sur une échelle allant des positions les plus rigides et sévères à celles plus flexibles et accommodantes envers la pratique religieuse. Cela étant, un État peut adopter une position plus restrictive sur un enjeu et plus ouverte sur un autre. On sait, par exemple, que la France interdit le port de signes religieux visibles à l'école publique, mais on perd souvent de vue que l'État français finance les écoles privées religieuses davantage qu'au Québec (85 % versus 60 %), ainsi que l'entretien et la conservation des églises catholiques et protestantes et des synagogues construites avant la loi de 1905 sur la séparation de l'Église et de l'État ; que les fêtes catholiques de Pâques, de l'Ascension, de la Pentecôte, de l'Assomption, de la Toussaint et de Noël sont des jours fériés ; et qu'un régime concordataire octroyant des privilèges aux religions catholique, protestante et judaïque est maintenu en Alsace-Moselle. La séparation et la neutralité, comme en témoigne l'exemple de la France, ne sont jamais réalisées intégralement en pratique.

S'il est vrai que le respect de la valeur morale égale des citoyens et la protection de la liberté de conscience sont les *finalités* de la laïcité, et que la séparation du politique et du religieux et la neutralité religieuse de l'État sont des *moyens* qui permettent d'atteindre ces finalités tout en les maintenant en équilibre, il s'ensuit que les conceptions plus rigides de la laïcité, plus promptes à reléguer au second plan la protection de la liberté de religion, en viennent parfois à accorder une importance prépondérante aux modes opératoires de la laïcité, élevés au rang de valeurs, souvent au détriment de ses finalités. L'intégralité de la séparation entre l'Église et l'État ou de la neutralité religieuse de l'État prend alors plus d'importance que le respect de la liberté de conscience des individus. Les débats publics sur la laïcité sont d'ailleurs plus souvent centrés sur les modes opératoires que sur les finalités de la laïcité. C'est ce que nous pourrions appeler un « fétichisme des moyens » : la séparation de l'Église et de l'État et la neutralité religieuse de l'État deviennent des valeurs qu'il faut défendre à tout prix, plutôt que des moyens, certes essentiels, mais à définir en fonction des finalités qu'ils servent. Les conflits entre les «deux glaives» ayant traversé le Moyen Âge, et la neutralité religieuse de l'État ainsi que la séparation entre l'Église et l'État ne s'étant véritablement concrétisées qu'au XXe siècle, cette importance accordée aux moyens de la laïcité est compréhensible. Elle rend toutefois plus difficile la tâche de repenser la laïcité en fonction de ses nouveaux défis, principalement reliés aux conditions d'un aménagement juste de la diversité morale et religieuse contemporaine.

Il y a toutefois d'autres raisons, en plus de cette focalisation sur les arrangements institutionnels, pour lesquelles un régime de laïcité peut choisir d'encadrer de façon plus serrée le libre exercice de la religion. Des sociétés peuvent attribuer d'autres finalités à la laïcité que celles données plus haut. Par exemple, un régime de laïcité peut être plus restrictif envers la pratique religieuse parce qu'on lui attribue aussi la mission de réaliser, en plus de l'égalité de respect et de la liberté de conscience, deux autres valeurs, à savoir l'émancipation des individus et l'intégration civique.

Un modèle de laïcité peut chercher à favoriser ou bien l'émancipation des individus par rapport à la religion, donc la sécularisation ou l'érosion de la croyance religieuse, ou bien la relégation stricte de la pratique religieuse dans les confins de la vie privée et associative. Cette conception de la laïcité défend une opinion ou un point de vue négatif, à différents degrés, sur la religion elle-même, vue comme incompatible avec l'autonomie rationnelle des individus. La laïcité devient ici un instrument devant servir l'émancipation des individus par la critique ou la mise à distance de la religion. Ainsi, pour Pena-Ruiz,

l'émancipation laïque, on le voit, ne peut se réduire à une simple sécularisation des institutions communes. Elle appelle la solidarisation de deux souverainetés : celle du peuple sur lui-même, et celle de la conscience individuelle sur ses pensées. La raison, principe de l'autonomie, est la faculté d'examen réfléchi qui s'applique à toutes choses, y compris au sens de chaque connaissance particulière dans la compréhension du monde, et la conduite de l'action. Tout homme en dispose comme d'une « lumière naturelle », potentialité à cultiver, mais nul ne peut la faire vivre en lui et la réaliser sans un travail de la pensée qui en assume les exigences. C'est pourquoi l'idéal laïque a pour raison d'être positive l'institution publique des conditions du jugement éclairé. Délier l'État de toute tutelle théologique ne suffit pas. Il faut aussi délier les citoyens des tuteurs multiples qui peuvent s'imposer à eux, dans la société civile comme dans le débat politique public[1].

La laïcité des institutions publiques, dans cette perspective, ne suffit pas. La laïcité doit aussi libérer les citoyens de l'emprise de leurs « tuteurs ». De même, la mission émancipatrice confiée aux institutions républicaines est mise en relief par Régis Debray, qui considère que « la République, c'est la liberté, plus la raison. […] La démocratie, c'est ce qui reste d'une république quand on éteint les lumières[2] ».

Cette version républicaine est très problématique dans

les sociétés marquées par la diversité des conceptions de la vie bonne. D'abord, l'idée sous-jacente selon laquelle la raison peut accomplir sa fonction émancipatrice uniquement si elle est dégagée de toute foi religieuse est très contestable. Il y a tout lieu de penser qu'une personne peut faire usage de sa raison dans la conduite de sa vie tout en adhérant à des croyances religieuses ou spirituelles[3]. Ensuite, les risques que cette valeur d'émancipation entre en conflit avec l'égalité morale et la liberté de conscience des citoyens sont très élevés. L'État laïque, en œuvrant à la mise à distance de la religion, adopte la conception du monde et du bien des athées et des agnostiques et, conséquemment, ne traite pas avec une considération égale les citoyens qui font une place à la religion dans leur système de croyances et de valeurs. Cette forme de laïcité n'est pas neutre par rapport aux convictions fondamentales qui permettent aux individus de donner un sens et une direction à leur vie. Or, l'engagement véritable de l'État en faveur de l'autonomie morale des individus implique que les individus soient reconnus comme souverains quant à leurs choix de conscience et qu'ils aient les moyens de choisir leurs propres options existentielles, que celles-ci soient séculières, religieuses ou spirituelles.

On peut aussi penser qu'un modèle de laïcité plus contraignant est nécessaire pour servir, en plus du respect de la valeur égale des personnes et de la liberté de conscience, une seconde finalité, soit l'intégration civique. L'intégration est comprise ici dans le sens de l'allégeance à une identité civique partagée et de la poursuite collective du bien commun. Pour certains, l'interaction et la coopération entre les citoyens que requiert l'intégration civique exigent l'effacement ou la neutralisation des marqueurs identitaires qui les différencient (dont la religion et l'ethnicité). La prémisse de cette conception républicaine de l'intégration est que l'effacement de la différence est une condition préalable nécessaire à l'intégration et à la cohésion sociale. L'école est souvent présentée, dans cette perspective, comme un « sanctuaire républicain[4] ».

On peut toutefois être d'accord avec l'idée que la laïcité doit servir l'intégration civique tout en contestant la prémisse selon laquelle l'effacement de la différence est une condition préalable à l'intégration. Selon ce point de vue alternatif, le dialogue, la compréhension mutuelle et la coopération entre les citoyens d'une société diversifiée exigent au contraire que les ressemblances *et* les différences entre eux soient reconnues et respectées. Le développement d'un sentiment d'appartenance et d'identification dans les sociétés diversifiées passe alors davantage par une « reconnaissance raisonnable » des différences que par leur relégation stricte à la sphère privée. Cette conception plus libérale et pluraliste de la laïcité a encore pour fonction première la protection de l'égalité morale des citoyens et de la liberté de conscience et de religion, mais elle contribue aussi, subsidiairement, à l'intégration civique.

Comme en ont fait foi les débats entourant le rapport de la commission Stasi en France et la loi sur le port de signes religieux visibles à l'école publique qui a été adoptée dans sa foulée en 2004[5], les références à ces deux valeurs d'émancipation et d'intégration abondent dans le discours public français sur la laïcité. Celle-ci y est souvent présentée comme un marqueur identitaire essentiel de la

République française. Toutefois, si la loi proscrivant les signes religieux « ostensibles » s'inscrit dans la logique de cette laïcité républicaine, il faut éviter de penser qu'elle est typique de la *pratique* française de la laïcité telle qu'elle s'est développée au cours du XXe siècle. Les faits révèlent plutôt que l'État français est parvenu en pratique à de nombreux compromis avec les Églises quant à l'expression de la foi, des compromis qui ne sont guère reflétés dans le discours dominant sur la laïcité. C'est ainsi que les membres de la commission Stasi ont pu écrire dans leur rapport que, « tout en restant une valeur partagée par tous, au cœur du pacte républicain, elle [la laïcité] n'a jamais été une construction dogmatique. Déclinée de façon empirique, attentive aux sensibilités nouvelles et aux legs de l'histoire, elle est capable aux moments cruciaux de trouver les équilibres et d'incarner les espérances de notre société[6] ». Le discours social dominant sur la laïcité peut faire perdre de vue que les tribunaux français ont le plus souvent affirmé que le port de symboles religieux à l'école publique n'était pas incompatible avec le principe de laïcité et que sa prohibition constituait une entrave à la liberté de religion[7]. Fait trop souvent oublié, c'est d'ailleurs au nom de la défense de l'ordre public *et non de la laïcité* que la loi de 2004 interdisant le port de signes religieux à l'école publique a été justifiée. « Aujourd'hui, écrivent les auteurs du rapport Stasi, la question n'est plus la liberté de conscience, mais l'ordre public[8]. » La conjonction de la pression exercée sur les jeunes filles musulmanes et des revendications de nature religieuse dans les institutions publiques comme les écoles, les hôpitaux et les prisons a convaincu les commissaires qu'une loi prohibant le port de signes religieux visibles à l'école publique était nécessaire. La République ne pouvant « rester sourde au cri de détresse » des jeunes filles musulmanes, et « l'espace scolaire » devant rester pour elles « un lieu de liberté et d'émancipation », il était devenu impératif que l'État français réaffirme son engagement envers la laïcité et la liberté individuelle. La question que l'on peut se poser ici est évidemment celle du lien logique entre l'interdiction du port de signes religieux visibles à l'école publique et la protection des jeunes filles soumises à des pressions indues. De quelle façon la loi protège-t-elle les jeunes filles victimes de harcèlement dans leur communauté? En quoi cette loi est-elle susceptible de mettre fin aux demandes déraisonnables d'accommodement dans les institutions publiques? Ce que l'on sait, toutefois, c'est que la prohibition restreint la liberté de religion des élèves musulmans, juifs et sikhs qui portent volontairement un signe religieux visible[9].

Il semble ainsi possible de distinguer plus précisément deux modèles ou idéaux types de la laïcité, à savoir une laïcité « républicaine » et une laïcité « libérale-pluraliste ». Le modèle républicain attribue à la laïcité la mission de favoriser, en plus du respect de l'égalité morale et de la liberté de conscience, l'émancipation des individus et l'essor d'une identité civique commune, ce qui exige une mise à distance des appartenances religieuses et leur refoulement dans la sphère privée. Le modèle libéral-pluraliste voit quant à lui la laïcité comme un mode de gouvernance dont la fonction est de trouver l'équilibre optimal entre le respect de l'égalité morale et celui de la liberté de conscience des personnes. Un régime libéral de laïcité ne se formalisera pas de la simple présence du religieux dans l'espace public et admettra la nécessité de recourir à des accommodements visant à rétablir l'équité ou à permettre l'exercice de la liberté de religion dans la mesure où le principe de l'égalité de respect n'est pas compromis. Comme nous le verrons plus loin, une demande d'accommodement qui ferait en sorte que l'État ou les institutions publiques en viendraient à accorder une valeur plus grande aux membres d'une religion donnée ne serait donc pas légitime. Une laïcité libérale-pluraliste vise ainsi la conciliation optimale de l'égalité de respect et de la liberté de conscience[10].

Cette distinction ne prétend pas recouper toutes les différences significatives entre les régimes de laïcité mis en place par les États laïques. Elle nous semble toutefois utile pour appréhender les finalités attribuées aux régimes de laïcité, ainsi que les multiples dilemmes portant sur les rapports entre l'État et les religions et sur le sens et les limites de la liberté de conscience et de religion auxquels sont confrontées les démocraties contemporaines.

4

La sphère publique et la sphère privée

Les tenants d'une conception républicaine de la laïcité défendent généralement la position selon laquelle la pratique de la religion doit être contenue dans les limites de la sphère privée. S'il faut reconnaître à tous les individus la liberté de vivre selon leur conscience dans leur vie privée, la sphère publique, elle, doit être exempte de toute manifestation de la foi. Cette exigence est vue comme découlant logiquement et nécessairement de la séparation de l'Église et de l'État. Pourtant, l'examen de cette distinction entre le public et le privé, fréquemment présentée comme une réponse claire aux questionnements sur l'aménagement de la diversité religieuse, révèle une complexité souvent négligée.

La distinction public-privé recèle au moins deux sens majeurs, sans parler des variantes mineures. Le premier sens du prédicat « public », hérité de l'Antiquité romaine, concerne la société dans son ensemble, par opposition à ce qui touche les citoyens « privés ». On parle en ce sens de « l'intérêt public » ou de « la chose publique » ; l'expression latine *res publica* désigne l'État ou le gouvernement qui s'occupe des affaires communes. On parle aussi des sociétés d'État, comme Hydro-Québec, en tant qu'institutions

« publiques ». Les institutions publiques servent en principe le bien commun.

L'autre sens de « public » nous vient du XVIIIe siècle : il désigne ce qui est ouvert, transparent, accessible, par opposition à ce qui est secret ou d'accès limité. On « publie » un livre, on rend « publique » de l'information, la bibliothèque est « ouverte au public », etc. C'est en ce sens que l'on réfère à une sphère publique composée des sites de discussion et d'échange entre citoyens « privés[1] ». C'est donc dire que l'on n'a pas besoin d'une charge « publique » au sens premier du terme pour participer à la sphère « publique » au sens second.

Le mot d'ordre, souvent lancé, selon lequel il faut « sortir la religion de l'espace public » peut donc comporter deux sens fort différents. Il peut signifier que les institutions publiques au sens premier du terme doivent être neutres : l'État et les institutions qui l'incarnent ne devraient pas s'identifier à une religion particulière ni à la religion en général. Le processus de déconfessionnalisation des écoles publiques au Québec amorcé dans les années 1960 pourrait se concevoir comme résultant de cette exigence.

La même exigence de neutralité pourrait aussi se comprendre de façon beaucoup plus large : on exigerait alors que les espaces publics au sens second soient exempts de toute référence religieuse. C'est à la lumière de cette conception que l'on pourrait interdire aux individus de porter des signes religieux visibles quand ils entrent dans la sphère publique (la rue, les commerces, les parcs, les associations de la société civile, etc.). C'est cet interdit beaucoup plus large qu'imposait le premier régime républicain turc sous Atatürk, après la Première Guerre mondiale.

Les deux sens du terme « public » s'entremêlent souvent dans les interventions en faveur de la « laïcité » : pensons à la loi française interdisant le port du hidjab et des autres signes religieux ostensibles dans les écoles publiques, ou à la décision de la Cour constitutionnelle de Turquie qui a invalidé la loi, adoptée en 2008 par le parti au pouvoir, permettant le port du hidjab à l'université. On peut tenter de justifier ces mesures en se rapportant au premier sens du mot « public ». Les écoles publiques et les universités sont des institutions relevant de l'État et, ce faisant, elles ne devraient pas être identifiées à une religion particulière. Mais on pourra répliquer que le port du hidjab par une étudiante musulmane est un acte expressif individuel qui n'engage pas l'institution et qui ne rend pas celle-ci plus confessionnelle qu'elle l'était auparavant. Les partisans de la loi répondent toutefois en invoquant la nécessité que les « espaces publics » de la République soient exempts de toute identité religieuse[2]. À ce stade, le mot « public » bascule vers son second sens. L'école et l'université sont en effet des lieux publics où des individus se rencontrent et interagissent. L'argumentation en faveur de cette loi fait appel aux deux sens du mot « public », sans que les différents fils soient toujours clairement distingués.

Cet enchevêtrement tend à faire perdre de vue qu'il y a une différence importante entre, d'une part, permettre à un étudiant d'arborer un signe religieux à l'école publique et, d'autre part, favoriser une religion particulière par l'entremise du pouvoir public. Il faut en effet distinguer le port d'un signe religieux par un élève d'un enseignement confessionnel (plutôt que culturel ou scientifique) des religions ou encore de la récitation d'une prière avant le début des classes. L'essentiel, si l'on veut accorder aux élèves un respect égal et protéger leur liberté de conscience, n'est pas d'évacuer complètement la religion de l'école, mais de veiller à ce que l'école n'épouse ou ne favorise aucune religion.

Il ne fait aucun doute qu'un régime d'enseignement confessionnel qui favorise le catholicisme et le protestantisme, comme c'était le cas au Québec avant l'adoption de la loi 95 en 2005[3], déroge à la règle de la neutralité des institutions publiques. Mais le fait que l'école soit une institution publique au sens premier du terme implique-t-il qu'elle doive aussi être un espace de rencontre et d'échange exempt de toute présence du religieux? Les deux conceptions de la laïcité que nous avons présentées plus haut s'affrontent sur cette question. Selon la conception libérale-pluraliste, l'exigence de neutralité s'adresse aux *institutions* et non aux *individus*. Selon la conception républicaine, les individus doivent aussi s'imposer un devoir de réserve et de neutralité en s'abstenant de manifester leur foi, soit lorsqu'ils fréquentent les institutions publiques, soit, pour les plus radicaux, lorsqu'ils entrent dans la sphère publique.

Cette seconde position est particulièrement exigeante pour les croyants dont la foi doit se traduire dans l'action. Or, le fait que plusieurs, comme nous le verrons plus loin, entretiennent un rapport hautement subjectif et personnel avec la religion ne change rien au fait, non moins réel, que pour de très nombreux croyants la foi est une affaire de pratiques et de rituels au moins autant que de croyances.

De plus, cette position semble présupposer une étanchéité entre la vie privée et la vie publique des individus et, partant, entre les espaces publics et les espaces privés. Mais cette étanchéité peut-elle toujours être maintenue dans les faits ? Prenons l'exemple des milieux hospitaliers. Le déclin de la famille élargie et le développement de l'État-providence ont fait en sorte, entre autres, que plusieurs personnes passent des moments déterminants de leur vie intime dans les espaces « publics » que sont les hôpitaux, les centres hospitaliers de soins de longue durée et les maisons de soins palliatifs — la plupart du temps des moments marqués par la souffrance et la vulnérabilité, incluant la période de fin de vie. La plupart des gens souhaitent dans ces moments être entourés de leurs proches, et les rites religieux demeurent, pour plusieurs, indispensables. C'est pourquoi la présence d'aumôniers et de lieux de recueillement dans les hôpitaux (tout comme dans les prisons ou les forces armées) n'est pas sérieusement remise en question. D'ailleurs, en même temps qu'elle a institué la séparation entre l'Église et l'État, la loi française de 1905 a établi que des aumôneries financées par l'État devaient être mises sur pied dans les hôpitaux, l'armée, les collèges et lycées, et les prisons (article 2). L'idée que l'on pourrait « bannir la religion » de ces espaces est moralement suspecte. Les enjeux soulevés par cet entrelacement du privé et du public exigent des solutions sages et sensibles résultant du dialogue entre les parties concernées.

En somme, la distinction public-privé s'avère dans plusieurs cas trop générale et indéterminée pour nous permettre d'évaluer la place appropriée de la religion dans l'espace public. Il y a en outre un vaste espace entre l'État et la vie privée, que l'on appelle souvent la « société civile », dans lequel une foule de mouvements sociaux et d'associations, dont certains animés par un esprit spirituel ou religieux, alimentent le débat sur des questions d'intérêt public et s'engagent dans des causes caritatives ou humanitaires. Dans les sociétés où prévalent les libertés de conscience, d'expression et d'association, la religion ne peut tout simplement pas être contenue à l'intérieur des strictes limites du domicile et des lieux de culte.

5

Les signes et les rituels religieux dans l'espace public

Comme nous l'avons avancé dans le premier chapitre, nous croyons qu'une théorie de la laïcité qui distingue plus clairement les principes moraux fondant la laïcité des arrangements institutionnels réalisant ces principes est nécessaire d'un point de vue conceptuel. Le gain découlant de la théorisation épistémique proposée n'est toutefois pas de nature strictement épistémique — il comporte aussi une dimension normative. La distinction entre les types de principes constitutifs de la laïcité nous permet de prendre conscience que certaines politiques ont pour effet de nous détourner de la réalisation des finalités au profit de la défense des moyens. De plus, le but d'une conception *libérale et pluraliste* de la laïcité est de nous aider à régler les conflits éthiques et politiques liés à l'aménagement de la diversité morale et religieuse des sociétés contemporaines. Bien que nous ne pensions pas que la simple application de la théorie puisse lever à elle seule la complexité des cas particuliers et guider les acteurs vers des réponses évidentes et univoques, nous croyons qu'elle permet de mieux identifier les tensions éthiques en présence et qu'elle offre des critères facilitant l'exercice du jugement.

En d'autres termes, la conceptualisation proposée peut s'avérer un bon guide ou une heuristique féconde lorsque les sociétés sont confrontées à des dilemmes mettant en cause la place de la religion dans l'espace public ou la liberté de conscience des citoyens. Afin d'illustrer l'utilité normative de la théorie, penchons-nous sur une des problématiques qui donnent le plus de fil à retordre aux démocraties contemporaines, à savoir la place des signes religieux dans l'espace public. Nous aborderons d'abord la question du port de signes religieux par les agents de l'État pour passer ensuite à celle de la place des symboles et des rites religieux dans la sphère publique.

Le port de signes religieux
par les agents de l'État

La laïcité exige, nous l'avons vu, qu'il n'y ait pas de lien organique entre l'État et la religion; l'État laïque doit prendre ses ordres du peuple, par l'intermédiaire des représentants élus, et non des communautés religieuses. La neutralité religieuse de l'État nécessite que les institutions publiques ne favorisent aucune religion, et non que les individus qui fréquentent ces institutions privatisent leur appartenance religieuse. Mais quelles sont les implications de la neutralité religieuse de l'État en ce qui a trait aux agents de l'État, soit ceux qui le représentent et qui lui permettent de remplir ses fonctions?

Cet enjeu ne pose pas de défi particulier aux conceptions républicaines de la laïcité, selon lesquelles il va de soi que les employés de l'État ne peuvent afficher leurs convictions religieuses dans l'exercice de leurs fonctions. On considère ainsi, en France et en Turquie, que le principe de laïcité justifie l'interdiction du port de signes religieux visibles par les agents de l'État. Il s'agit toutefois d'une question plus difficile pour les modèles libéraux et pluralistes de la laïcité, qui cherchent pour leur part à mettre en équilibre, d'un côté, une protection ample de la liberté de conscience et de religion et, de l'autre, le respect égal dû à tous les citoyens, qui exige la neutralité des institutions publiques.

La raison le plus souvent invoquée pour interdire le port de signes religieux par les agents de l'État est que ceux-ci représentent l'État et doivent conséquemment incarner les valeurs dont il fait la promotion. L'État étant théoriquement neutre par rapport aux différentes appartenances religieuses des citoyens, ses représentants doivent se faire l'exemple de cette neutralité.

Cette position semble à première vue raisonnable et légitime. Les citoyens, en tant qu'individus, sont libres d'afficher leur appartenance religieuse tant dans la sphère privée que dans la sphère publique entendue au sens large. Mais en tant qu'agents de l'État, ils doivent accepter d'incarner ou de personnifier la neutralité de celui-ci envers les religions. Un employé de l'État portant un signe religieux visible pourrait donner l'impression qu'il sert son Église avant de servir l'État, ou qu'il existe un lien organique entre l'État et sa communauté religieuse, alors qu'une règle uniforme interdisant le port de signes religieux visibles permet pour sa part d'éviter l'apparence d'un conflit d'intérêts. Comme l'a dit Jacques Chirac dans son discours de 2003 sur la laïcité, nous devons réaffirmer avec force la neutralité et la laïcité du service public. Celle de chaque agent public, au service de tous et de l'intérêt général, à qui s'impose l'interdiction d'afficher ses propres croyances ou opinions. C'est une règle de notre droit, car aucun Français ne doit pouvoir suspecter un représentant de l'autorité publique de le privilégier ou de le défavoriser en fonction de convictions personnelles[1].

Il importe à ce stade de rappeler, avant d'examiner cet argument de plus près, que l'interdiction pour les agents de l'État de porter des signes religieux a un prix double, à savoir la restriction de la liberté de conscience et de religion des personnes visées, mais aussi, potentiellement, celle de l'égalité dans l'accès aux emplois de la fonction publique et parapublique. Or, si aucun droit n'est absolu, une démocratie libérale doit toujours avoir des raisons fortes pour porter atteinte aux droits et libertés fondamentaux. Est-ce que l'apparence de neutralité visée par la règle interdisant le port de signes religieux visibles chez les agents de l'État constitue une raison forte ?

Si l'apparence de neutralité est importante, nous ne croyons pas qu'elle justifie une règle générale interdisant le port de signes religieux visibles chez les agents de l'État. Ce qui importe avant tout est que ceux-ci fassent preuve d'impartialité dans l'*exercice* de leurs fonctions. Un employé de l'État doit chercher à accomplir la mission attribuée par le législateur à l'institution qu'il sert ; ses actes ne doivent lui être dictés ni par sa foi ni par ses croyances philosophiques, mais par la volonté de réaliser les finalités associées au poste qu'il occupe. Or, pourquoi penser que la personne qui porte sur elle un signe religieux visible est moins susceptible de faire preuve d'impartialité, de professionnalisme et de loyauté envers l'institution que la personne qui n'en porte pas? Pourquoi, alors, nous arrêter aux manifestations extérieures de la foi? Ne devrait-on pas aussi, en toute logique, exiger des employés de l'État qu'ils renoncent à toutes convictions de conscience, instaurant ainsi une version moderne du serment du Test[2]? Ce serait évidemment absurde. On voit mal pourquoi il faudrait penser, *a priori*, que ceux qui affichent leur appartenance religieuse sont moins capables de faire la part des choses que ceux dont les convictions de conscience ne sont pas extériorisées ou le sont de façon moins visible (pensons au port de la croix). Pourquoi refuser la présomption d'impartialité à l'un et l'accorder à l'autre?

Les agents de l'État doivent être évalués à la lumière de leurs actes. Font-ils preuve d'impartialité dans l'exercice de leurs fonctions? Leurs croyances religieuses interfèrent-elles avec l'exercice de leur jugement professionnel? Il est possible d'évaluer la neutralité des actes posés par les agents de l'État sans restreindre de façon systématique leur liberté de conscience et de religion. Par exemple, ce qu'il faudrait proscrire, dans le cas d'un employé portant un signe religieux visible et faisant du prosélytisme au travail, ce serait le prosélytisme et non le port du signe religieux, qui n'est pas en soi un acte de prosélytisme.

Il se peut que des citoyens soient choqués par la vision d'un agent de l'État affichant son appartenance religieuse, peu importe les compétences de ce dernier. Mais comment s'explique cette réaction? Est-il possible que, dans bien des cas, elle provienne d'une suspicion, voire d'une intolérance, envers la religion en général ou envers les religions minoritaires en particulier? Devrions-nous restreindre le libre exercice de la religion de certains citoyens sur cette base? Dans les sociétés diversifiées au sein desquelles une multiplicité de religions et de rapports à la religion se côtoient, il faut plutôt miser sur un apprentissage du vivre-ensemble qui favorise la compréhension et le respect mutuels. Or, comment pourrait-on s'habituer à des signes religieux avec lesquels la majorité n'est pas familiarisée si un certain nombre de professions-clés sont fermées à ceux et celles pour qui la foi doit se traduire par le port de tels signes? Une laïcité plus sévère ne risque-t-elle pas de favoriser le repli communautaire plutôt que l'intégration?

Notre position ne signifie toutefois pas qu'il faille accepter le port de tous les signes religieux par les agents de l'État. Elle implique plutôt que l'on ne devrait pas interdire le port d'un signe religieux simplement parce qu'il est religieux. D'autres raisons peuvent cependant justifier l'interdiction. Nous entrons ici sur le terrain des limites à la liberté de religion — une question dont nous traiterons plus en profondeur au chapitre 11. Le port d'un signe religieux ne doit pas entraver l'accomplissement de la fonction occupée. Une enseignante ne pourrait pas, par exemple, revêtir une burqa ou un niqab en classe et s'acquitter adéquatement de sa tâche d'enseignante. D'une part, l'enseignement passe nécessairement par la communication, et le recouvrement du visage et du corps exclut la communication non verbale. D'autre part, l'une des missions de l'enseignante est de contribuer au développement de la sociabilité de l'élève. Or, il semble raisonnable de penser que le port d'un voile intégral instaure une distance excessive entre l'enseignante et ses élèves. Bref, des motifs pédagogiques peuvent être invoqués pour justifier l'interdiction de la burqa ou du niqab chez les enseignantes[3].

En revanche, le hidjab, lui, n'empêche ni la communication ni la socialisation. Certains soutiennent cependant que le jeune élève du premier cycle du primaire n'a pas encore acquis l'autonomie nécessaire pour comprendre qu'il n'a pas à adopter la religion de son enseignante, qui est en position d'autorité. Cet argument est sérieux et mériterait que l'on s'y arrête — bien que nous ne puissions le faire ici —, en s'éclairant de la recherche sur les stades de développement cognitif des enfants. En contrepartie, il faudrait également prendre en considération que les jeunes qui sont exposés en bas âge à la diversité qu'ils rencontreront à l'extérieur de l'école pourront démystifier plus facilement les différences et seront conséquemment moins prompts à les appréhender sur le mode de la menace. Bien vivre ensemble dans une société diversifiée exige que l'on apprenne à trouver normal un éventail de différences identitaires.

Certains considèrent que, s'il est vrai qu'une règle générale s'appliquant à tous les agents de l'État est excessive, il n'en demeure pas moins que le port de signes religieux visibles devrait être interdit pour une gamme restreinte de postes, ceux qui incarnent au plus haut point l'État et sa nécessaire neutralité. On peut aussi avancer que l'apparence d'impartialité s'impose de façon particulièrement forte dans le cas des juges, des policiers et des gardiens de prison, qui détiennent tous un pouvoir de sanction à l'endroit de personnes en position de vulnérabilité et de dépendance (le défendant, le prévenu, le prisonnier).

Ces situations, tous en conviendront, sont très délicates. Le cas des juges est probablement le plus complexe et difficile à trancher. Les parties en cause dans un procès, en particulier l'accusé, qui est susceptible d'être sanctionné, doivent impérativement pouvoir présumer de l'impartialité du juge. Est-ce qu'un accusé musulman pourrait présumer de l'impartialité d'un juge juif portant une kippa ou d'un juge hindou affichant un tilak ? Le droit à un procès équitable fait partie des garanties juridiques fondamentales données aux citoyens. Cela étant, l'un des mécanismes utilisés pour rendre ce droit effectif est la récusation. Un juge doit en effet d'abord évaluer s'il est apte à entendre une cause donnée. S'il a des doutes quant à sa capacité à conduire un procès de façon impartiale, il a le devoir de se récuser. S'il ne le fait pas, il porte atteinte au droit de l'accusé d'avoir un procès équitable et viole le code de déontologie de sa profession. Les parties gardent d'ailleurs en tout temps le droit de présenter une demande de récusation. De plus, « la véritable impartialité », comme il est souligné dans un arrêt de la Cour suprême du Canada, « n'exige pas que le juge n'ait ni sympathie ni opinion. Elle exige que le juge soit libre d'accueillir et d'utiliser différents points de vue en gardant un esprit ouvert[4] ». La partialité ou l'impartialité du juge s'incarne dans son attitude par rapport aux parties et aux enjeux de la cause qu'il entend, et non dans ses caractéristiques personnelles[5].

Le cas des policiers, qui exercent eux aussi un pouvoir

de sanction, pose également certaines difficultés. Une interdiction du port de signes religieux visibles serait justifiée s'il s'avérait que la sécurité des policiers et des personnes auprès desquelles ils interviennent est mise en péril. Il faudrait alors démontrer que l'interdiction des signes religieux est, dans certains contextes, une nécessité fonctionnelle à l'accomplissement des tâches du policier. En contrepartie, il faudrait aussi prendre en considération l'hypothèse, fort plausible, selon laquelle une force policière risque de gagner plus facilement la confiance d'une population diversifiée si elle-même est diversifiée et inclusive.

La question du port de signes religieux par les agents de l'État est délicate dans les sociétés occidentales où l'on retrouve, d'un côté, une grande diversité religieuse et, de l'autre, une méfiance à l'endroit des religions dont l'implantation est plus récente ou envers la présence même de la religion dans l'espace public. Les sources de l'immigration se diversifiant, il n'est pas impossible que cette question soit beaucoup moins controversée dans quelques décennies. L'exemple de l'Inde, où le port de signes religieux dans l'espace public et chez les agents de l'État a été dédramatisé, est particulièrement instructif à cet égard.

Le patrimoine historique religieux

Une des sources d'insatisfaction à l'égard des mesures d'accommodement destinées aux minorités religieuses a trait à l'asymétrie perçue entre ce qui est exigé des membres de la majorité par rapport aux membres des minorités.

Plusieurs comprennent mal pourquoi des accommodements doivent être accordés à des individus appartenant à des groupes religieux minoritaires pour qu'ils puissent pratiquer leur religion dans l'espace public alors que la majorité, elle, doit accepter, au nom de la laïcité, que certains de ses symboles et rituels religieux soient privatisés. Nos développements précédents nous permettent d'évaluer, de façon générale, le bien-fondé de ce sentiment d'iniquité.

D'une part, l'État ou les institutions publiques ne doivent pas faire d'un précepte ou d'une pratique propre à une religion donnée — même celle de la majorité — une norme contraignante pour tous les citoyens. C'est ainsi que la loi qui interdisait aux commerces d'ouvrir leurs portes le dimanche devait être abolie, car elle traduisait une norme chrétienne dans le droit positif. Les athées, les agnostiques et les membres des autres communautés religieuses devaient respecter une loi provenant directement de la religion chrétienne. Ces derniers n'étaient donc pas traités avec un respect égal par l'État. D'autre part, les accommodements qui permettent à des *individus* de pratiquer leur religion au travail ou dans les institutions publiques ne remettent pas en question, s'ils sont justifiés, la neutralité de l'État. Ces pratiques n'engagent que les individus.

Mais la laïcité exige-t-elle le sacrifice du patrimoine historique religieux des sociétés? Faut-il, en particulier, purger les institutions et les lieux publics de toute trace de la religion et, au premier chef, de celle de la majorité? Cela ne reviendrait-il pas à faire table rase du passé, à couper les liens entre le passé et le présent?

Une conception adéquate de la laïcité doit chercher à distinguer ce qui constitue une forme d'établissement de la religion de ce qui relève du patrimoine historique de la société. Au Canada, l'ancienne Loi sur le dimanche, les privilèges naguère accordés aux catholiques et aux protestants en matière d'enseignement de la religion dans les écoles publiques, la récitation d'une prière avant le début des séances d'un conseil municipal et l'utilisation obligatoire de la bible pour prêter serment en cour constituaient des formes d'établissement de la religion de la majorité. Dans tous ces cas, les chrétiens pratiquants se trouvaient favorisés et les non-chrétiens, contraints de respecter une loi ou une norme qui était en porte-à-faux avec leurs convictions de conscience. Mais certaines pratiques ou certains symboles peuvent trouver leur origine dans la religion de la majorité sans pour autant contraindre véritablement la conscience de ceux qui ne font pas partie de cette majorité. C'est le cas des pratiques et symboles qui ont une valeur patrimoniale plutôt qu'une fonction de régulation. La croix sur le mont Royal à Montréal, par exemple, ne signifie pas que la Ville de Montréal s'identifie au catholicisme, et elle n'impose pas aux non-catholiques d'agir à l'encontre de leur conscience; c'est un symbole qui témoigne d'un épisode de l'histoire québécoise. Un symbole religieux est donc compatible avec la laïcité lorsqu'il s'agit d'un rappel du passé plutôt que d'un signe d'une identification religieuse de la part d'une institution publique[6]. Comme le souligne la Commission des droits de la personne et des droits de la jeunesse du Québec, un symbole ou rituel issu de la religion de la majorité « ne porte pas atteinte aux libertés fondamentales s'il ne s'accompagne d'aucune contrainte sur le comportement des individus[7] ».

Ce critère est largement accepté. Les citoyens issus de l'immigration plaident d'ailleurs rarement pour le remisage du patrimoine historique de leur société d'accueil. Ils sont plus susceptibles de revendiquer, dans certaines situations, une pluralisation des symboles religieux dans l'espace public. Il faut cependant éviter que des pratiques qui constituent dans les faits une forme d'identification de l'État à une religion — la plupart du temps celle de la majorité — soient maintenues en fonction de l'idée qu'elles ne recèleraient plus aujourd'hui qu'une valeur patrimoniale. Pensons ici aux prières tenues au début des séances d'un conseil municipal ou au crucifix accroché au-dessus du siège du président de l'Assemblée nationale du Québec. Ce crucifix, installé par le premier ministre Maurice Duplessis en 1936, laisse entendre qu'une proximité toute spéciale existe entre le pouvoir législatif et la religion de la majorité. Il apparaît préférable que le lieu même où délibèrent et légifèrent les élus ne soit pas identifié à une religion particulière. L'Assemblée nationale du Québec est l'assemblée de tous les citoyens du Québec.

Cela étant, il demeurera des cas où l'État ne pourra se montrer parfaitement neutre. Par exemple, toute société a besoin d'un calendrier commun permettant aux citoyens et aux institutions de coordonner leurs actions. Ces calendriers ont généralement une origine religieuse. C'est ce qui explique que les commerces ont longtemps dû fermer le dimanche et que la plupart des jours fériés coïncident avec des fêtes religieuses chrétiennes. Il ne saurait être question, dans ce cas, de fabriquer un calendrier aseptisé, déshistoricisé. Comme nous le verrons dans la deuxième partie du présent ouvrage, la voie à emprunter est plutôt celle des pratiques raisonnables d'accommodement qui permettent aux membres des autres religions de chômer les jours de leurs fêtes religieuses les plus importantes, comme peuvent le faire les chrétiens. Les mesures d'accommodement permettent à la fois le maintien de la continuité historique et la correction de discriminations indirectes. Un régime libéral et pluraliste de laïcité permet ainsi, dans plusieurs cas, de répondre de façon sage et équitable aux questions entourant le port de signes religieux et le patrimoine historique qui se posent dans toutes les sociétés diversifiées.

6

La laïcité libérale-pluraliste : l'exemple québécois

La discussion des « modèles » de laïcité et de leurs principes sous-jacents ne devrait pas faire perdre de vue que les expériences concrètes en matière de laïcité sont toujours colorées par l'histoire et le contexte, par le tissu de faits et de significations propres à chaque société. Il n'y a pas, en ce sens, de modèle pur de laïcité ; les tentatives de concilier l'égalité morale et la liberté de conscience des citoyens varient toujours en fonction de la singularité des contextes. C'est pourquoi on ne trouve pas deux régimes de laïcité qui règlent de la même façon tous les dilemmes posés par l'aménagement de la diversité religieuse. Notre propos ayant été jusqu'ici essentiellement théorique, nous voulons maintenant nous arrêter brièvement sur l'expérience québécoise en matière de laïcité, qui nous apparaît comme une incarnation particulièrement intéressante du modèle libéral-pluraliste que nous venons d'esquisser. Le régime québécois de laïcité est, comme toutes les formes de gouvernance concrètes, traversé de tensions, mais il s'agit néanmoins d'une expérience empirique instructive dans un monde où les sociétés doivent apprendre à vivre avec une diversité morale et religieuse irréductible[1]. Nous retracerons d'abord brièvement ce parcours historique pour ensuite tenter de reconstruire le consensus assez large qui s'est dessiné au sujet du régime de laïcité le mieux adapté à la réalité québécoise.

Le parcours québécois de laïcité

Nous ne saurions refaire ici toute l'histoire des rapports entre l'État, la religion et la société au Québec, mais disons que l'une des caractéristiques centrales de la laïcité québécoise est qu'elle s'est définie de façon implicite. Une série d'événements historiques et de décisions politiques et judiciaires ont fait en sorte que le pouvoir politique de l'Église catholique a décru et que l'État a cheminé graduellement vers un régime de respect de la liberté de conscience et de religion. Contrairement à une croyance assez largement répandue, le processus de laïcisation du Québec n'a pas débuté dans les années 1960 avec la modernisation de la société québécoise associée à la Révolution tranquille. Si un lien organique existe entre l'Église et l'État sous le régime colonial français, la fin de ce régime en 1760 marque le début de la séparation des deux pouvoirs. Pour des raisons essentiellement pragmatiques, la Couronne britannique renonce rapidement à sa volonté de faire de l'Église anglicane l'Église officielle de sa nouvelle colonie. Des mesures de tolérance religieuse sont mises en place dès le XVIIIe siècle afin d'assurer la paix sociale et la stabilité politique dans le contexte de la cohabitation forcée entre Canadiens français et Britanniques[2]. Le traité de Paris de 1763 et l'Acte de Québec de 1774 reconnaissent la liberté de culte des catholiques. Ce régime de reconnaissance du pluralisme religieux a sans conteste souffert d'exceptions, mais il n'en demeure pas moins que l'expérience de la tolérance religieuse plonge ses racines loin dans l'histoire du Canada.

L'Acte de l'Amérique du Nord britannique (AANB) de 1867 vient préciser — en dépit, paradoxalement, de son mutisme sur la question — le rapport entre l'Église et l'État au Canada. La nouvelle Constitution fédérale n'adopte pas officiellement, contrairement à la Constitution américaine, un principe de « non-établissement » de la religion, mais elle ne confère pas pour autant le statut d'Église officielle ou nationale à une Église particulière. La Couronne ne sera pas sous la tutelle de l'Église. Aucune référence à Dieu n'est d'ailleurs inscrite dans son préambule. La constitution de 1867 instaure ainsi implicitement une séparation entre l'Église et l'État, de même qu'un régime partiel, mais assez avancé, de neutralité religieuse[3]. L'indépendance de l'État par rapport aux Églises se trouve ainsi silencieusement affirmée[4]. Les prétentions de l'Église quant à l'exercice du pouvoir temporel sont d'ailleurs souvent mises en échec à la fin du XIXe et dans la première moitié du XXe siècle par les pouvoirs étatiques, qui prennent plusieurs décisions auxquelles s'oppose le clergé[5]. Pensons, par exemple, à l'arrêt stipulant que les cimetières sont de juridiction civile, à la loi québécoise contre l'influence indue des curés dans les élections en 1875, à l'arrêt de la Cour supérieure du Québec qui fait du mariage un lien d'abord civil (affaire Delpit-Côté de 1901) et aux différentes décisions reconnaissant les droits des juifs et des témoins de Jéhovah. Comme l'a souligné Milot, l'idée répandue que la laïcisation du Québec s'est longtemps fait attendre est en grande partie fondée sur une confusion entre l'influence sociale du clergé — son emprise sur les mœurs et les normes sociales — et son réel pouvoir politique, beaucoup plus circonscrit.

La Révolution tranquille marque néanmoins une accélération du processus de laïcisation de l'État québécois. Des secteurs longtemps laissés sous la responsabilité de l'Église comme l'éducation, la santé et les services sociaux sont progressivement pris en charge par l'État-providence naissant. Des phénomènes comme la transformation du rapport au catholicisme des Québécois et l'accroissement de la diversité culturelle font en sorte que l'Église catholique peut de moins en moins être le pôle de régulation sociale qu'elle avait été.

L'un des éléments les plus déterminants de l'approfondissement de la laïcité québécoise se trouve dans la culture des droits de la personne qui s'est graduellement affirmée dans la seconde moitié du XXe siècle, comme en témoigne l'adoption de la Déclaration canadienne des droits sous le gouvernement Diefenbaker en 1960, de la Charte des droits et libertés du Québec en 1975 et de la Charte canadienne des droits et libertés en 1982. Les chartes protègent les droits et libertés fondamentaux des individus, dont l'égalité de traitement devant la loi et la liberté de conscience et de religion, et proscrivent plusieurs formes de discrimination, y compris celle fondée sur la religion. Des lois favorisant une religion ou faisant indûment obstacle à la liberté de conscience d'un citoyen sont depuis susceptibles d'être invalidées par les tribunaux en vertu du contrôle de la constitutionnalité des lois. La laïcité de l'État québécois et de ses institutions se trouve ainsi approfondie et consolidée sous l'influence de l'institutionnalisation de cette culture des droits et libertés[6].

La laïcité québécoise n'est donc pas née d'un énoncé constitutionnel ou d'un acte législatif lui étant explicitement consacré. Si, au départ, la tolérance religieuse et la séparation partielle de l'Église et de l'État étaient dictées par le fait que le régime britannique devait s'assurer un certain niveau de collaboration de la part des sujets catholiques davantage que par des considérations morales, la laïcité est graduellement devenue un mode de gouvernance au service de la reconnaissance de l'égalité des cultes, dans le contexte d'une société marquée à la fois par la diversité des rapports au religieux et par la diversité religieuse[7].

Le ralliement autour de la laïcité ouverte

La réflexion québécoise sur la laïcité est, depuis au moins les années 1990, riche et dynamique[8]. Le premier débat sur le port du foulard islamique à l'école, en 1994, et la publication du rapport du Groupe de travail sur la place de la religion à l'école (le rapport Proulx), en 1999, ont constitué des moments forts de cette réflexion. Comme la laïcisation de l'école québécoise s'est faite tardivement — les structures scolaires n'ont été déconfessionnalisées qu'en 1998, et l'enseignement confessionnel catholique et protestant n'a été remplacé par le programme Éthique et culture religieuse qu'en septembre 2008 —, l'école a constitué le centre de gravité du débat sur la laïcité. Cela étant, la diversification de l'immigration et le contexte international actuel, dans lequel le rapport entre les cultures et entre les religions est particulièrement saillant, ont fait en sorte que cette réflexion s'est élargie pour recouper celle portant sur l'aménagement du vivre-ensemble dans une société multiculturelle composée de citoyens aux croyances et aux modes de vie divers[9].

Il nous semble possible de dégager un consensus assez large chez les acteurs sociaux qui ont réfléchi à la laïcité québécoise dans les deux dernières décennies. Il s'agit d'un accord sur ce qui a été appelé, dans le rapport Proulx, une laïcité « ouverte » et que nous avons désigné ici comme le modèle « libéral-pluraliste[10] ». Une laïcité ouverte reconnaît la nécessité que l'État soit neutre — les lois et les institutions publiques ne doivent favoriser aucune religion ni conception séculière —, mais elle reconnaît aussi l'importance pour plusieurs de la dimension spirituelle de l'existence et, partant, l'importance de protéger la liberté de conscience et de religion des individus[11]. C'est à la lumière de cette conception de la laïcité que la majorité des intervenants se sont opposés, par exemple, à la reconduction de la clause dérogatoire permettant aux écoles de prodiguer un enseignement catholique et protestant confessionnel. En contrepartie, plutôt que de demander que la religion soit complètement évincée de l'école, ils ont suggéré que l'enseignement confessionnel soit remplacé par un programme permettant aux élèves d'acquérir les connaissances requises pour comprendre les manifestations du phénomène religieux au Québec et ailleurs et de développer les aptitudes nécessaires au vivre-ensemble dans le contexte d'une société diversifiée — des objectifs repris par le nouveau programme Éthique et culture religieuse[12].

Le choix d'une approche libérale et inclusive par le

Québec, lors du débat du milieu des années 1990 sur le port du hidjab à l'école publique, s'est aussi avéré l'un des moments décisifs dans la construction de ce modèle de laïcité ouverte. Sans qu'il y ait unanimité, un accord assez large s'est alors dégagé pour permettre aux élèves portant le foulard de fréquenter l'école publique plutôt que de les exclure et de les pousser ainsi vers les écoles privées religieuses. La plupart des intervenants participant au débat en sont venus à la conclusion que, en plus de porter atteinte au droit à l'égalité et à la liberté de conscience des élèves, l'interdiction du foulard les priverait vraisemblablement d'une occasion unique de socialisation avec des jeunes et des enseignants provenant de tous les milieux et origines[13]. Comme l'a écrit alors le Conseil du statut de la femme, « l'exclusion de l'école des filles qui portent le foulard a des conséquences néfastes pour leur intégration actuelle et future à la société[14] ».

Cette orientation est en quelque sorte le reflet de la laïcité beaucoup plus libérale et pluraliste que républicaine qui s'est implantée de façon graduelle au Québec. Elle permet aux citoyens d'exprimer publiquement leurs convictions religieuses dans la mesure où cette expression n'entrave pas les droits et libertés d'autrui. Elle est un aménagement institutionnel qui vise à protéger les droits et libertés, et non, comme en France, un principe constitutionnel et un marqueur identitaire à défendre. La neutralité et la séparation de l'État et de l'Église ne sont pas vues comme des fins en soi, mais comme des moyens permettant d'atteindre le double objectif, fondamental, de respect de l'égalité morale et de protection de la liberté de conscience des citoyens[15].

Cela dit, l'existence d'un accord assez large parmi les organismes publics et les groupes de la société civile qui se sont prononcés sur le modèle de laïcité que devrait adopter le Québec ne signifie pas que l'unanimité règne parmi les citoyens sur cette question. Bien au contraire, le débat québécois sur les « accommodements raisonnables » a révélé l'existence de désaccords profonds sur les orientations que l'État devrait adopter en matière de laïcité. Pour certains, le contexte actuel exigerait que l'on modifie plus ou moins radicalement le modèle de laïcité ouverte axé sur la protection des droits et libertés.

Après avoir consulté les citoyens de toutes les régions du Québec et mené ses propres recherches, la Commission de consultation sur les pratiques d'accommodement reliées aux différences culturelles en est venue à la conclusion que la laïcité ouverte permettait le mieux de respecter à la fois l'égalité des citoyens et leur liberté de conscience et de religion, donc de réaliser les deux finalités de la laïcité, et qu'il s'agissait maintenant de clarifier et d'approfondir ce modèle[16]. Les travaux de la Commission n'ont pas clos le débat sur la laïcité, mais ils ont permis de faire ressortir que la « laïcité ouverte » avait jusqu'ici permis au Québec d'atteindre un équilibre satisfaisant, du moins d'un point de vue comparatif, entre le respect des droits et libertés individuels et les impératifs de la vie en société.

DEUXIÈME PARTIE

Penser la liberté de conscience

Préambule[*]

La diversité des croyances et des valeurs qui s'est imposée comme un des traits structurants des sociétés contemporaines engendre souvent des désaccords éthiques et politiques qui érodent, à différents degrés, le lien social. Une des questions qui divisent les citoyens est celle de la légitimité des mesures d'accommodement visant à permettre à certaines personnes de respecter des croyances qui se démarquent de celles de la majorité. Ces demandes ont souvent pour but de permettre la libre pratique de la religion. Pensons, par exemple, à un fonctionnaire qui demanderait une dérogation à un règlement encadrant la tenue vestimentaire des employés afin de pouvoir porter un signe religieux lorsqu'il est en fonction, ou à un groupe

---

[*] Certaines portions des chapitres qui suivent sont tirées de Jocelyn Maclure, « Convictions de conscience, responsabilité individuelle et équité », dans Paul Eid, Pierre Bosset, Micheline Milot et Sébastien Lebel-Grenier (dir.), *Appartenances religieuses, appartenance citoyenne. Un équilibre en tension*, Québec, Presses de l'Université Laval, 2009. Nous remercions l'éditeur de nous avoir permis d'utiliser des extraits de ce texte.

d'étudiants souhaitant que leur université mette à leur disposition un local où ils pourraient prier en toute tranquillité. Cela dit, des croyances séculières — le végétarisme, le pacifisme ou le libertarisme, par exemple — peuvent aussi être la source de demandes d'accommodement ou d'exemption.

On peut raisonnablement penser que, dans le cadre de sociétés multiculturelles qui protègent la liberté de conscience et d'expression et qui respectent le pluralisme des valeurs et des croyances, ce genre de demandes n'ira pas en décroissant. Les pratiques d'accommodement des croyances religieuses minoritaires (les « accommodements religieux ») étaient notamment au cœur du débat sur les termes du vivre-ensemble qui a récemment tenu le Québec en haleine. Des cas d'individus invoquant la liberté de religion pour obtenir le droit de porter des signes religieux au travail ont été portés devant les tribunaux dans de nombreux pays, dont l'Allemagne, la Suisse, la Turquie, le Royaume-Uni et le Canada. Les programmes d'études dans les écoles, les horaires de travail, les menus, les pratiques en matière de santé et de services sociaux, ainsi que les normes de santé publique (sur l'abattage des animaux, le port de casques protecteurs, l'usage cérémoniel de drogues, etc.) font régulièrement l'objet de contestations ou de demandes d'adaptation ou d'exemption. Comment une société animée par un idéal de justice sociale doit-elle traiter ces demandes ? La conception libérale et pluraliste de la laïcité vise, nous l'avons vu, à atteindre un équilibre optimal entre le respect de l'égalité morale et la protection de la liberté de conscience des individus. Nous avons affirmé que ce modèle de laïcité exige, dans certaines situations, la mise en œuvre de mesures d'accommodement visant à permettre l'exercice de la liberté de conscience. Est-ce bien le cas ?

Plusieurs considèrent que les accommodements religieux sont en porte-à-faux par rapport aux principes de justice sociale qui se trouvent au fondement des régimes politiques démocratiques et libéraux. L'une des critiques les plus fortes de ces accommodements se fonde sur le principe selon lequel les normes et les institutions publiques doivent traiter l'ensemble des citoyens de façon *équitable*. Les normes et les institutions publiques sont équitables lorsqu'elles répartissent de façon moralement acceptable les avantages et les inconvénients dérivés de la coopération sociale : les citoyens doivent recevoir leur juste part des bénéfices de la vie collective tout en assumant, réciproquement, leur juste part des charges qui lui sont immanentes[1]. Une société guidée par un idéal de justice sociale cherchera constamment à réévaluer ses normes et ses institutions et politiques publiques afin de faire en sorte qu'elles contribuent le mieux possible à la mise en place d'un système de coopération sociale équitable. Or, si certains soutiennent que l'obligation d'accommodement est dérivée de principes de justice plus généraux, comme le droit à l'égalité et la liberté de conscience et de religion, d'autres croient que les accommodements religieux s'apparentent plutôt à des traitements de faveur et sont par conséquent inéquitables. Ces deux positions sont défendues par des citoyens dans la sphère publique, par des législateurs et des juges dans des forums officiels, et par des théoriciens dans les débats contemporains en philosophie politique.

7

L'obligation juridique
d'accommodement raisonnable

La liberté de religion protégée par les instruments juridiques nationaux et internationaux comprend non seulement la liberté d'adhérer à des croyances religieuses, mais aussi celle de *manifester* son appartenance religieuse par le culte, les rites et la diffusion de la foi. L'article 18 du Pacte international relatif aux droits civils et politiques énonce ainsi les dimensions de la liberté de religion :

> Toute personne a droit à la liberté de pensée, de conscience et de religion; ce droit implique la liberté d'avoir ou d'adopter une religion ou une conviction de son choix, ainsi que la liberté de manifester sa religion ou sa conviction, individuellement ou en commun, tant en public qu'en privé, par le culte et l'accomplissement des rites, les pratiques et l'enseignement[1].

La liberté de religion inclut donc la liberté de *pratiquer* sa religion. Mais cette liberté de pratique comprend-elle aussi nécessairement un devoir d'accommodement ou d'adaptation lorsque des normes d'application générale qui ne sont pas à leur face même discriminatoires empêchent une personne de remplir ce qu'elle perçoit comme une obligation religieuse? Les avis sur cette question sont partagés. Si John Locke, dans sa *Lettre sur la tolérance*, admettait volontiers que la liberté de conscience incluait la liberté de manifester ses croyances religieuses, il ne croyait pas qu'elle contenait aussi l'obligation d'accommoder les croyants se heurtant à un conflit entre une loi servant l'intérêt collectif et une prescription religieuse[2].

Certains pays, comme le Canada et les États-Unis, considèrent toutefois aujourd'hui que les institutions publiques et privées sont assujetties, dans certaines circonstances, à une *obligation* juridique d'accommoder des croyances ou des pratiques religieuses minoritaires. Cette norme est une modalité particulière d'une obligation juridique plus large visant à mieux assurer l'exercice du droit à l'égalité chez les individus appartenant à certaines catégories de citoyens, le plus souvent des minorités. Elle provient de la constatation que des normes d'application générale légitimes peuvent, dans certaines circonstances, s'avérer discriminatoires à l'endroit de personnes possédant des caractéristiques physiques ou culturelles particulières (dont l'état physique, l'âge, l'ethnicité, la langue et la religion). Les lois et les normes sont généralement pensées en fonction de la majorité ou des situations d'application les plus courantes. Il est normal, par exemple, que les règles dans un milieu de travail donné soient conçues en fonction de la majorité des travailleurs pour lesquels la condition physique et les croyances personnelles ne génèrent pas de contraintes particulières. Il se peut toutefois, ce faisant, que la femme enceinte, la personne vivant avec un handicap physique ou celle dont la foi est source d'obligations spécifiques (en termes de culte, d'habillement ou d'alimentation) ne puisse continuer à exercer sa profession si son horaire ou ses conditions de travail ne sont pas aménagés en fonction de ses caractéristiques particulières. De même, on peut facilement comprendre qu'une école adopte un règlement interdisant aux élèves d'apporter des seringues à l'école, mais personne ne songerait à s'opposer à ce qu'un jeune élève diabétique soit exempté de l'application de ce règlement légitime. C'est ainsi que l'équité exige parfois que des mesures d'accommodement (exemptions, ajustements) soient accordées même lorsque la norme visée n'est pas, à sa face même, discriminatoire.

C'est pour contrer ce genre de discrimination, le plus souvent indirecte, que les tribunaux de plusieurs pays ont jugé que le principe d'accommodement devait être conçu comme une obligation juridique découlant de droits plus généraux enchâssés dans les chartes des droits et libertés, à savoir le droit à l'égalité et à la non-discrimination ou la liberté de conscience et de religion. Les demandes d'accommodement pour motifs religieux, appartenant au domaine des droits fondamentaux, ne peuvent donc plus être évaluées exclusivement en fonction de considérations de gestion ou de politiques publiques[3].

Si l'on passe du droit à la philosophie politique, la justification de la norme d'accommodement raisonnable n'est pas sans rappeler celle qui se trouve au cœur du multiculturalisme ou de la « politique de la reconnaissance[4] ». En effet, l'un des arguments centraux en faveur du multiculturalisme en tant que principe normatif et politique publique s'appuie sur le fait que certaines normes publiques s'appliquant à tous les citoyens ne sont pas neutres ou impartiales d'un point de vue culturel ou religieux. Par exemple, la cohésion sociale et la coordination des actions des citoyens exigent que la vie d'une collectivité soit rythmée par un calendrier officiel commun. Comme nous l'avons vu, étant donné l'influence historique des religions et le fait que celles-ci contiennent généralement une morale prescrivant une série d'actes à faire au moment opportun, les calendriers sont le plus souvent issus des traditions religieuses. C'est ainsi que les jours de travail et de repos et plusieurs jours fériés sont, même dans les États laïques et dans les sociétés sécularisées, tirés de la religion de la majorité. L'ancienne Loi sur le dimanche, qui interdisait au Canada l'ouverture des commerces ce jour-là, était un exemple de la traduction directe d'une norme chrétienne dans le droit positif[5]. Encore aujourd'hui, les commerces ferment à Noël et à Pâques, mais ils n'ont aucune obligation de le faire les jours de fêtes juives ou musulmanes importantes, ou au Nouvel An chinois. Cela n'est pas nécessairement illégitime. Les normes d'une société ne sont pas déterminées qu'en fonction de principes de justice abstraits : elles le sont aussi en fonction de son inscription dans un contexte culturel propre (sa démographie, son histoire, etc.). Une société ne peut, dans le monde d'aujourd'hui, inscrire cinquante jours fériés à son calendrier, et il est normal que certaines normes publiques s'enracinent dans les attributs et intérêts de la majorité. Il existe des normes qui ne peuvent tout simplement pas être culturellement neutres : en plus du calendrier, pensons à la langue publique commune. Ces normes ne sont pas illégitimes pour autant, mais le fait qu'elles favorisent indirectement la majorité fait en sorte que des mesures d'accommodement doivent parfois être prises afin de rétablir l'équité dans les termes de la coopération sociale[6]. C'est pourquoi plusieurs philosophes politiques considèrent — rejoignant ainsi la jurisprudence — que la reconnaissance et l'accommodement de la diversité religieuse et culturelle constituent maintenant une question de justice sociale[7]. Sur le plan de la philosophie pratique, le multiculturalisme plonge ses racines dans le libéralisme, c'est-à-dire dans l'approfondissement des droits et libertés, et non dans le relativisme moral ou culturel, et il ne nie pas, comme nous venons de le voir, les droits des majorités démocratiques.

8

Les croyances religieuses sont-elles des « goûts dispendieux » ?

Choix, circonstances et responsabilité individuelle

La légitimité des demandes d'accommodement fondées sur des motifs religieux ne fait pas l'unanimité. Le bien-fondé d'une mesure d'accommodement permettant par exemple à une écolière de porter un hidjab à l'école n'apparaît pas évident aux yeux de tous. Or, des dérogations similaires peuvent être accordées pour des raisons de santé, comme c'est le cas lorsqu'une jeune fille doit se couvrir la tête sous les ordres de son médecin. Personne ne songerait à s'opposer à une telle exception. On sait aussi que les accommodements visant à assurer l'égalité des personnes vivant avec un handicap physique ou des femmes enceintes sont très largement acceptés. L'opinion publique est donc beaucoup plus suspicieuse envers les demandes motivées par la croyance religieuse.

Un des arguments les plus souvent invoqués pour expliquer pourquoi l'on ne saurait mettre sur un pied d'égalité les demandes motivées par la religion et celles motivées par des raisons de santé est que les personnes vivant avec un handicap ou une maladie n'ont pas choisi leur condition, alors que les croyants ont fait le choix d'adhérer à une religion donnée et de l'interpréter d'une façon plus rigoriste. En d'autres termes, il faudrait faire une distinction entre les situations qui impliquent un choix volontaire et celles qui relèvent des circonstances qui s'imposent aux individus. Le diabétique n'est pas malade volontairement : la maladie s'est imposée à lui sous la forme d'une contrainte. Par contre, la musulmane ou le sikh peut toujours choisir d'interpréter et de pratiquer sa religion autrement, voire d'y renoncer. C'est pourquoi les mesures d'accommodement sont vues comme des traitements de faveur qui avantagent ceux dont la pratique religieuse est plus intégrale, et ce, au détriment des athées, des agnostiques *et* des croyants dont la pratique religieuse s'inscrit dans la sphère privée et la vie associative. Telle est la position que défend clairement, par exemple, le Mouvement laïque québécois :

> La comparaison entre accommodement pour handicap physique et accommodement pour raison religieuse est fallacieuse, car l'handicapé n'a pas choisi ou désiré son handicap. [...] les pratiquants doivent assumer les responsabilités qui découlent des contraintes qu'ils choisissent de se donner en adoptant des rituels contraignants au regard de la société civile laïque[1].

L'idée que les accommodements religieux puissent être justifiés au nom de la justice sociale est *contre-intuitive*, car elle semble en tension avec une conception très répandue de l'égalité entre les citoyens et de la responsabilité des individus. Dans les démocraties libérales contemporaines, qui ont rejeté à la fois l'idée d'une économie de marché autorégulatrice et d'une socialisation complète des richesses, le principe selon lequel l'État doit promouvoir l'égalité des chances et non l'égalité des conditions est largement accepté. La philosophie politique qui sous-tend ce type de régime ménage une place à la fois à l'égalité des chances entre les individus et à la responsabilité individuelle. Les individus doivent jouir de chances égales de se réaliser, mais ils doivent assumer la responsabilité des conséquences de leurs décisions. Les institutions et les politiques publiques doivent être guidées par l'idéal d'une société dans laquelle tous les individus ont une chance égale de choisir leur plan de vie et de le mettre en œuvre. Des facteurs comme la classe sociale, le genre, l'orientation sexuelle, les caractéristiques physiques, l'ethnicité et la religion ne devraient pas, en principe, diminuer les chances d'autoréalisation des personnes.

La valeur morale égale reconnue aux individus fait donc en sorte que tous devraient, au départ, avoir une chance égale de choisir et de réaliser leur conception de ce qu'est une vie réussie. Mais, en contrepartie, l'État n'a pas à dédommager les individus qui ont des « goûts dispendieux », c'est-à-dire des préférences personnelles coûteuses ou contraignantes. Si la conception de l'épanouissement humain d'une personne exige qu'elle ne travaille que six mois par année et qu'elle puisse voyager pendant les six autres mois, il lui revient de se trouver une carrière assez lucrative et flexible lui permettant de mettre son plan de vie à exécution. Si elle n'arrive pas à se trouver une telle carrière, il lui incombe de réviser ses plans en fonction des ressources dont elle dispose. Elle ne peut légitimement s'attendre à ce que ses concitoyens cotisent davantage au trésor public afin que des ressources lui soient allouées pour qu'elle puisse satisfaire ses préférences. L'individu est tenu responsable de ce qui relève de sa volonté et de ses capacités délibératives[2]. On attribue ainsi aux agents la responsabilité d'adapter leurs préférences, jusqu'à un certain point, au champ de possibilités et de contraintes qui structure leur contexte de vie.

Suivant ce point de vue, les accommodements religieux devraient être considérés comme inéquitables, car les croyants ont la capacité d'adapter leurs croyances et leur plan de vie aux conditions avec lesquelles ils doivent composer. Comme la personne qui ne souhaitait travailler que six mois par année peut en fin de compte se satisfaire de vacances estivales, le dévot peut réinterpréter ses croyances pour qu'elles s'harmonisent plus facilement avec ses conditions de travail ou avec les exigences de la vie en société. Les religions, on le sait, sont des systèmes de croyances et de pratiques évolutifs qui sont capables de s'adapter aux réalités propres à chaque époque. C'est même cette fluidité et cette plasticité relatives qui permettent aux religions historiques de s'actualiser et de demeurer pertinentes aux yeux de leurs adeptes. Comme les religions ne sont pas des systèmes de croyances immuables, il ne semble pas *a priori* déraisonnable de demander à la personne religieuse d'adapter ses croyances aux règles de la vie commune, ou alors d'assumer les conséquences de sa façon de vivre sa foi. Les croyances religieuses sont, selon ce point de vue, un type de préférences subjectives parmi d'autres; elles ne justifient un traitement différentiel ni favorable ni défavorable[3]. Pour Brian Barry, par exemple, l'équité exige que tous les citoyens soient traités de façon identique — c'est-à-dire que le même éventail d'options ou de possibilités leur soit offert — et qu'ils aient les ressources et les capacités pour s'en prévaloir. C'est ensuite aux individus de décider quel ensemble de possibilités ils souhaitent réaliser. Dans ce cadre général, si un individu décide d'adopter des croyances qui restreignent son accès à certaines possibilités, il ne peut se tourner vers l'État pour être dédommagé ou pour obtenir que des règles différentes s'appliquent à lui[4].

Cette position est à plusieurs égards correcte, mais elle néglige deux des prémisses sur lesquelles repose l'obligation d'accommodement raisonnable : 1) les règles qui font l'objet de demandes d'accommodement sont parfois indirectement discriminatoires à l'endroit de membres de certains groupes religieux ; 2) les convictions de conscience, qui incluent les croyances religieuses, forment un type de croyances ou de préférences subjectives particulier qui appelle une protection juridique spéciale. Comme nous le verrons, ces deux prémisses, une fois conjuguées, justifient l'obligation d'accommodement raisonnable.

Neutralité et discrimination indirecte

Pour que les individus aient véritablement accès au même éventail d'options, les règles qui délimitent leurs choix ne doivent favoriser ou défavoriser aucune catégorie de citoyens. Or, comme nous l'avons vu plus haut, c'est parce que certaines lois ou règles ne sont pas neutres que les accommodements sont parfois justifiés. Comment nier,

par exemple, que notre calendrier d'origine chrétienne
pose aux juifs et aux musulmans pratiquants des défis
qu'il ne pose pas aux chrétiens pratiquants? N'est-il pas
juste de dire qu'il est généralement plus facile pour les
chrétiens de travailler et de remplir leurs obligations religieuses ou de suivre leurs traditions que ce n'est le cas
pour les membres des religions non chrétiennes? C'est
précisément pour rétablir l'équité que des exemptions ou
des ajustements sont parfois nécessaires (aménagement
de l'horaire et de l'espace de travail, congé pour les fêtes
religieuses, permission de porter des signes religieux
visibles, etc.). De même, les normes usuelles en ce qui
concerne les menus offerts dans les hôpitaux, dans les
écoles, dans les prisons ou sur les vols aériens sont établies
en fonction de la majorité, ce qui peut faire en sorte qu'il
sera difficile pour les végétariens ou pour les juifs et les
musulmans qui mangent respectivement kasher et halal
de respecter les diktats de leur conscience si la composi-
tion des menus est laissée strictement aux aléas de l'offre
et de la demande.

La notion d'accommodement raisonnable a d'abord
été conçue par les tribunaux comme un moyen permettant de corriger la discrimination *indirecte*. Une norme
peut être neutre ou impartiale à sa face même tout en
entraînant, dans son application, des effets préjudiciables
aux membres d'un groupe donné. Par exemple, on ne
trouve aucune trace de discrimination explicite dans un
règlement scolaire qui proscrit le port de couvre-chefs.
Cette règle ne cible aucun type de couvre-chef ni aucune
catégorie de personnes. Dans les faits, elle impose toutefois une contrainte à ceux dont la foi exige le port d'un

couvre-chef, alors que ceux qui ne sont pas soumis à une telle obligation peuvent respecter leurs convictions de conscience (religieuses ou séculières) tout en étudiant.

En réponse à cela, Barry soutient qu'il est absurde de penser que les lois et autres normes doivent être neutres dans leurs effets. Le but d'une loi est de réaliser un bien donné, ce qui exige souvent de baliser l'espace de liberté des individus en interdisant certains comportements. La loi ne cherche pas à être neutre, mais à réaliser une finalité jugée souhaitable par le législateur. Une loi interdisant les actes pédophiles, comme le rappelle Barry, ne sera pas neutre à l'endroit des pédophiles. Le but de la loi est précisément de restreindre leur liberté[5].

Ici, Barry fait diversion. Les normes et les lois affectent évidemment les individus de différentes façons. Une surtaxe sur les véhicules utilitaires sport affectera bien sûr négativement la personne tirant une grande satisfaction de la conduite de tels véhicules. La surtaxe peut néanmoins être justifiée si elle vise à faire payer aux utilisateurs les externalités négatives engendrées par la conduite récréative d'un VUS. Le législateur pourra toutefois consentir à des exemptions (ou les prévoir dans la loi) afin de permettre certains usages des VUS qu'il ne cherche pas à décourager, comme les usages professionnels. De la même manière, un règlement scolaire interdisant le port de couvre-chefs en classe pourrait viser à instaurer un certain protocole et à créer un environnement favorisant l'apprentissage, et non à empêcher les élèves de respecter leurs obligations religieuses. Le règlement peut cibler ceux qui souhaiteraient porter des casquettes, des bandanas et d'autres couvre-chefs en classe, sans pour autant interdire le port de signes religieux visibles. C'est dans ce genre de situations que les accommodements sont nécessaires. Ainsi, la réplique de Barry — les lois et les règlements ne sont jamais neutres dans leurs effets — ne constitue pas une réponse adéquate aux problèmes que visent à corriger les accommodements, mais elle rappelle aux défenseurs des accommodements que l'argument fondé sur la non-neutralité de certaines normes publiques doit être spécifié.

Le statut des convictions de conscience

Une partie du débat sur le rapport entre l'équité et les accommodements religieux porte donc sur l'existence de la discrimination indirecte fondée sur la religion. Un opposant aux pratiques d'accommodement pourrait soutenir que, dans les cas clairs d'inégalité de traitement — pensons aux lois prescrivant la fermeture des commerces le dimanche —, la norme ou la loi doit simplement être réécrite ou abrogée. Dans les autres cas, le croyant doit toutefois assumer les coûts de ses convictions. Pour les adversaires des accommodements, nous l'avons vu, les croyances religieuses ne sont pas différentes des autres croyances et préférences des individus et ne jouissent pas, par conséquent, d'un statut moral et légal particulier[6]. À l'inverse, toute position soutenant que la recherche de mesures d'accommodement est, dans certaines circonstances, une obligation de justice devra nécessairement faire la démonstration que les croyances religieuses appartiennent à un type de croyances distinctes qui appellent une protection juridique plus grande. Une autre partie du débat porte donc sur le statut des croyances religieuses et, par extension, de la liberté de religion.

En effet, l'argument qui repose sur l'existence de formes de discrimination indirecte fonctionne en conjonction avec un autre argument, distinct, fondé sur le statut particulier de ce que nous avons appelé les convictions ou les engagements fondamentaux. Selon cette perspective, les convictions fondamentales, y compris les croyances religieuses, doivent être distinguées des autres croyances et préférences personnelles à cause du rôle qu'elles jouent dans l'identité morale des individus. Plus une croyance est liée au sentiment d'intégrité morale d'un individu, ou plus elle est une condition du respect qu'il a pour lui-même, plus la protection juridique dont elle doit bénéficier doit être forte. Les convictions fondamentales permettent de structurer son identité morale et d'exercer sa faculté de juger dans un monde où les valeurs et les plans de vie potentiels sont multiples et entrent souvent en concurrence[7]. L'intégrité morale, dans le sens où nous l'utilisons ici, dépend du degré d'adéquation entre, d'une part, ce que la personne perçoit comme étant ses devoirs et ses engagements axiologiques prépondérants et, d'autre part, ses actions[8]. Une personne dont les actes ne correspondent pas de façon satisfaisante à ce qu'elle estime être ses obligations et ses valeurs les plus fondamentales risque de voir son sentiment d'intégrité morale atteint.

Ainsi, ce ne sont pas toutes les croyances et préférences qui peuvent fonder les demandes d'accommodement. Les croyances et préférences qui ne contribuent pas à donner un sens et une direction à ma vie et dont je ne peux vraisemblablement pas prétendre que leur respect constitue une condition de l'estime que j'ai pour moi-même ne peuvent générer une *obligation* d'accommodement. C'est pourquoi la décision d'une jeune musulmane de porter le voile à l'école ne peut être mise sur le même pied que le choix de son camarade de porter une casquette. Dans le premier cas, la jeune fille se sent soumise à une obligation — y déroger serait aller à l'encontre d'une pratique qui contribue à la définir, elle se trahirait elle-même, son sentiment d'intégrité serait atteint —, ce qui n'est pas le cas, en temps normal, pour le jeune étudiant.

Bref, les croyances qui engagent ma conscience et les valeurs auxquelles je m'identifie le plus et qui me permettent de m'orienter dans un espace moral pluriel doivent être distinguées de mes désirs, de mes goûts et de mes autres préférences personnelles, c'est-à-dire de toutes choses qui sont susceptibles de contribuer à mon bien-être, mais dont je pourrais me passer sans avoir l'impression de me trahir ou de m'égarer du chemin que j'ai choisi. La non-satisfaction d'un désir peut m'indisposer, mais elle n'atteint généralement pas le socle de valeurs et de croyances qui me définissent de la façon la plus fondamentale; elle ne m'inflige pas un « tort moral[9] ».

Il se dessine donc ici une perspective qui nous permet de voir des éléments de similarité entre les demandes motivées par des raisons de santé et celles motivées par des raisons de conscience : si servir de la viande à un patient dont l'état de santé exige un menu végétarien équivaut à lui infliger un tort *physique,* forcer le végétarien à manger de la viande revient à lui infliger un tort *moral.* On pourrait aussi dire que l'individu est soumis, dans le premier cas, à une restriction physique et, dans le second, à une restriction « morale » ou « de conscience ».

Examinons un instant la position opposée, soutenant que l'on ne doive faire aucune distinction entre les convictions profondes et les préférences personnelles. Dans son mémoire déposé à la Commission de consultation sur les pratiques d'accommodement reliées aux différences culturelles, le Mouvement laïque québécois (MLQ) recommande l'adoption de la règle générale suivante : « En application des principes laïques, que nul ne puisse accorder de dérogations de normes publiques démocratiquement établies pour le motif de croyances religieuses ou de convictions métaphysiques[11]. »

En vertu de cette règle, toute demande d'accommodement pour des motifs religieux serait refusée a priori. Les « normes publiques » auxquelles se réfère le MLQ incluent aussi les règles internes que se donnent les institutions pour assurer leur bon fonctionnement. Ainsi, cette recommandation ferait en sorte qu'un corps policier qui aurait adopté un règlement interdisant le port de la barbe ne pourrait accorder une dérogation à un musulman ou à un sikh pour qui le port de la barbe constitue une obligation religieuse. La direction de la force policière pourrait toutefois faire une exception pour ceux qui le font pour des raisons de santé[11].

Ce refus a priori des demandes d'accommodement pour motifs religieux peut se concevoir de deux manières. Il est possible, d'une part, de maintenir la possibilité de dérogation pour des raisons de conscience, mais uniquement dans les cas où les demandes sont fondées sur des considérations philosophiques séculières. Ainsi, dans le cas de deux prisonniers végétariens, celui s'inspirant du philosophe utilitariste Peter Singer pourrait obtenir un menu sans viande, alors que le prisonnier hindou devrait choisir entre déroger à sa conscience et jeûner. Cette position, discriminatoire, est à sa face même inacceptable. Ce n'est d'ailleurs probablement pas la position défendue par le MLQ, qui considère que ni les « croyances religieuses » ni les « convictions métaphysiques » ne peuvent justifier des mesures d'accommodement[12].

La recommandation du MLQ conduirait donc plus vraisemblablement à un rejet de toutes les demandes d'accommodement fondées sur des convictions de conscience. La seule façon d'éviter la discrimination fondée sur la religion tout en acceptant la proposition du MLQ est de ne pas faire de distinction entre les croyances religieuses et les croyances séculières profondes, et de n'accorder ni aux unes ni aux autres un poids moral et légal particulier. Cette position aurait pour conséquence de mettre sur un pied d'égalité les demandes dérivées des convictions fondamentales et celles exprimant des préférences personnelles, des désirs, des caprices ou des considérations pratiques qui n'ont rien à voir avec les convictions fondamentales des individus. Dans cette perspective, les demandes suivantes auraient, aux yeux d'un gestionnaire, le même poids :

> a) « Je veux finir de travailler à 16 h le vendredi, car je veux éviter la congestion routière »

et

> b) « Je veux finir de travailler à 16 h le vendredi, car je dois rentrer à la maison avant le coucher du soleil pour respecter le jour du sabbat »

Le gestionnaire placé dans cette situation n'aurait aucunement l'obligation de prendre la demande fondée sur la conscience en délibéré ni de lui accorder plus de poids qu'à celle basée sur une simple préférence personnelle. Cela signifierait que nous cesserions d'accorder une protection plus grande aux convictions de conscience, c'est-à-dire aux croyances qui sont intimement liées à l'identité et à l'intégrité morales des personnes. Les notions mêmes de « liberté de conscience » et de « liberté de religion » deviendraient ainsi caduques puisqu'elles pourraient se fondre dans la liberté de pensée ; cette proposition reviendrait, en d'autres termes, à découpler la liberté de conscience de la liberté de mettre ses convictions en pratique.

S'il est vrai, comme nous le verrons, que le statut moral et légal privilégié accordé aux convictions de conscience peut ouvrir la porte à leur instrumentalisation, nous croyons néanmoins qu'il est préférable de chercher des moyens de limiter la portée des abus potentiels que de restreindre *a priori* la liberté de conscience des citoyens.

9

La conception subjective de la liberté de religion et l'individualisation de la croyance

Comme on vient de le voir, le statut légal particulier des croyances religieuses est dérivé du rôle qu'elles jouent dans la vie morale des personnes plutôt que d'une évaluation de leur validité intrinsèque. Un État libéral et démocratique reconnaît, rappelons-le, les limites de la raison pratique eu égard à la question du sens et des finalités ultimes de l'existence. Il revient aux individus, perçus comme des *agents moraux* capables de se donner une conception du bien, de se situer par rapport aux différentes possibilités sur le plan de la compréhension du monde et du sens de la vie humaine. La conception « personnelle ou subjective » de la liberté de religion adoptée par la Cour suprême du Canada peut être comprise comme l'extension de ce parti pris en faveur de l'autonomie morale des individus. Dans les termes de la majorité dans l'arrêt *Amselem* (2004),

> la liberté de religion garantie par la *Charte des droits et libertés de la personne* du Québec (et la *Charte canadienne des droits et libertés*) s'entend de la liberté de se livrer à des pratiques et d'entretenir des croyances ayant un lien avec

une religion, pratiques et croyances que l'intéressé exerce ou manifeste sincèrement, selon le cas, dans le but de communiquer avec une entité divine ou dans le cadre de sa foi spirituelle, indépendamment de la question de savoir si la pratique ou la croyance est prescrite par un dogme religieux officiel ou conforme à la position de représentants religieux. Cette interprétation est compatible avec une conception personnelle ou subjective de la liberté de religion. Par conséquent, le demandeur qui invoque cette liberté n'est pas tenu de prouver l'existence de quelque obligation, exigence ou précepte religieux objectif. C'est le caractère religieux ou spirituel d'un acte qui entraîne la protection, non le fait que son observance soit obligatoire ou perçue comme telle. L'État n'est pas en mesure d'agir comme arbitre des dogmes religieux, et il ne devrait pas le devenir[1].

La liberté de religion permet aux personnes d'adopter les croyances religieuses de leur choix et, le cas échéant, de les mettre en pratique. Or, il a longtemps été attendu du demandeur revendiquant un ajustement ou une exemption qu'il démontre l'objectivité de sa croyance, c'est-à-dire l'existence dans sa religion de l'obligation ou du précepte invoqué. Le demandeur devait, en d'autres termes, démontrer que la croyance religieuse citée était conforme au dogme établi dans les textes ou reconnue par les autorités de sa religion. Cette approche a été rejetée dans la jurisprudence américaine et canadienne récente sur la liberté de religion. Comme nous venons de le voir, la majorité a établi, dans l'arrêt *Amselem*, que les demandeurs n'étaient pas tenus de «prouver l'existence de quelque obligation, exigence ou précepte religieux objectif[2]». L'essentiel pour la Cour est que le demandeur croie sincèrement que sa foi lui prescrit une pratique ou un acte donné. Ni des représentants religieux autorisés ni des experts n'ont besoin de confirmer l'existence du précepte invoqué pour qu'une demande d'accommodement fondée sur la liberté de religion soit prise en délibéré. Le critère retenu par la Cour suprême est celui de la *sincérité* de la croyance : le demandeur doit démontrer qu'il croit véritablement être tenu de se conformer au précepte religieux en cause.

Le principal avantage d'une conception personnelle et subjective de la liberté de la religion est qu'elle permet aux tribunaux de ne pas agir comme interprètes des dogmes religieux et arbitres des inévitables désaccords d'ordre théologique. En s'en remettant à la croyance personnelle, ils évitent d'avoir à trancher entre les interprétations contradictoires d'une même doctrine religieuse. Ils contournent aussi le danger de se rabattre sur l'opinion majoritaire au sein d'une communauté religieuse et de contribuer à la marginalisation des voix minoritaires.

La conception subjective de la religion est ainsi au diapason d'une des évolutions les plus marquantes du rapport à la religion et à la spiritualité à notre époque, à savoir le phénomène de l'« individualisation » ou de la « protestantisation » de la croyance. Ce qui importe, pour plusieurs, est moins le respect de l'orthodoxie religieuse que la résonance des croyances religieuses dans la quête de sens personnelle. De plus en plus d'individus réinterprètent leur propre tradition religieuse à la lumière de leur expérience personnelle ou puisent à même une diversité de traditions religieuses, spirituelles et séculières les éléments leur permettant de structurer leur vision du monde[3]. Il s'agit de l'expérience religieuse que le philosophe et psychologue américain William James appelait déjà en 1902 la « religion personnelle », qu'il distinguait de la « religion institutionnelle ». La branche personnelle de la religion, écrit James, « c'est la vie intérieure de l'homme religieux ; tout l'intérêt se concentre dans la conscience humaine avec ses mérites, ses misères, ses imperfections. [...] Le lien entre l'homme et son créateur va tout droit du cœur au cœur, de l'esprit à l'esprit[4] ».

Cela étant dit, la conception subjective de la liberté de religion et l'accent placé sur la sincérité de la croyance, même s'ils sont en phase avec le phénomène de la personnalisation de la foi, ne désavantagent pas nécessairement les expériences religieuses centrées davantage sur la pratique et les rites religieux. Comme en témoigne l'affaire *Amselem*, des personnes dont la pratique religieuse est assidue ou orthodoxe peuvent s'appuyer sur la conception subjective de la liberté de religion pour revendiquer des accommodements, même si les autorités religieuses de leur communauté ne s'entendent pas sur le caractère obligatoire ou optionnel de la pratique religieuse en question[5].

Enfin, la conception subjective de la liberté de religion permet aux tribunaux de contourner le problème, peut-être insoluble, de la définition de ce qu'est une religion. Il est en effet très difficile de trouver un dénominateur commun à toutes les traditions religieuses et spirituelles. Il n'est pas rare que les définitions retenues favorisent les trois grands monothéismes historiques[6]. Par exemple, stipuler que le rapport à un ou des dieux est ce qui définit la religion en tant que telle exclut des religions orientales non théistes comme le confucianisme, le bouddhisme et le taoïsme, ce qui apparaît difficilement justifiable.

10

L'obligation légale d'accommodement favorise-t-elle la religion ?

Les convictions de conscience religieuses et séculières

Une critique fréquemment formulée à l'endroit de l'obligation d'accommodement fondée sur la liberté de religion est qu'elle favorise les conceptions religieuses de la vie bonne par rapport aux conceptions séculières. Pourquoi, par exemple, devrait-on aménager l'horaire de travail d'une employée adventiste afin que celle-ci n'ait jamais à travailler le samedi (le jour du sabbat), alors que son collègue qui, lui, voudrait suivre une formation professionnelle ou un cours de piano qui ne se donnent que le samedi, ou encore tenir compagnie à sa mère vieillissante, doit quand même travailler ce jour-là, sous peine de perdre son emploi ? Cela ne revient-il pas à favoriser les conceptions religieuses de la vie bonne au détriment des conceptions séculières (centrées, notamment, sur l'épanouissement professionnel, l'expression artistique ou la solidarité familiale) ? Les accommodements religieux sont-ils compatibles avec la neutralité à l'égard des conceptions du bien dont doit faire preuve l'État libéral ? On sait que les régimes de laïcité et de tolérance religieuse en Occident ont historiquement cherché à assurer la paix et la stabilité dans des sociétés marquées par l'éclatement de l'Église chrétienne. Le but était que les membres des différentes confessions religieuses jouissent d'une liberté de conscience approximativement égale, ce qui exigeait une séparation entre l'État et les Églises. Cette position est toutefois compatible avec l'octroi d'un statut privilégié à la religion en général par rapport aux visions non religieuses du monde. Locke considérait que la tolérance religieuse pouvait être étendue aux juifs et aux « mahométans », mais que les athées, indignes de confiance puisque ne devant pas répondre de leurs actes devant une force supérieure, ne pouvaient être tolérés. Dans le même esprit, le juge Joseph Story de la Cour suprême américaine pouvait affirmer, dans les années 1830, que, si le premier amendement à la Constitution prohibait toute identification de l'État à une Église particulière, le fait que les Églises en présence étaient chrétiennes (et, dans les faits, protestantes) faisait en sorte qu'il était normal et légitime que les principes du christianisme soient invoqués dans l'interprétation des lois. Pour le juge Story, le but du premier amendement était « d'exclure toute rivalité entre les sectes chrétiennes », mais cela n'empêchait pas que « le christianisme devait être encouragé par l'État ». Le christianisme est essentiel à la gouverne politique parce que la croyance dans « un état futur des peines et des récompenses » est vue comme étant « indispensable à l'administration de la justice ». De plus, selon Story, « il est impossible, pour qui croit en la vérité du christianisme en tant que révélation divine, de douter qu'il revient au gouvernement de la nourrir et de l'encourager chez les citoyens[1] ».

Cette primauté accordée à la religion fut défendue tout au long du XIXe siècle². En 1890 encore, 37 des 42 États qui existaient alors reconnaissaient l'autorité de Dieu dans leur préambule ou dans le texte même de leur constitution. Un jugement unanime de la Cour suprême des États-Unis affirmait en 1892 que, si l'on peignait le portrait « de la vie américaine telle qu'elle se manifeste à travers ses lois, son commerce, ses coutumes et sa société, nous trouverions en tous lieux une nette reconnaissance d'une même vérité […] qu'il s'agit d'une nation chrétienne³ ». La primauté de la religion sur les autres croyances est toujours affirmée aujourd'hui dans la théorie constitutionnelle du « non-préférentialisme » selon laquelle le principe de « non-établissement » de la religion signifie seulement qu'aucune religion particulière ne peut être favorisée par le Congrès américain, et non qu'une approbation générique de la religion est interdite⁴. Dans l'arrêt *Wisconsin* c. *Yoder*, portant sur le droit de parents amish d'abaisser l'âge de la scolarisation obligatoire de 16 à 14 ans pour leurs enfants, la Cour suprême américaine a établi que les croyances religieuses constituent une catégorie de croyances distinctes méritant un traitement juridique préférentiel : « Un mode de vie, aussi vertueux et admirable soit-il, ne peut faire obstacle à un contrôle étatique raisonnable de l'éducation, s'il est fondé sur des considérations purement séculières ; pour recevoir la protection des clauses religieuses, les revendications doivent être enracinées dans la croyance religieuse. »

Dans un contexte bien différent, le président français Nicolas Sarkozy s'est approché d'une position attribuant un statut privilégié à la religion, ou du moins à une certaine forme de spiritualité, lorsqu'il a soutenu que la quête de transcendance est inscrite dans la constitution ontologique de l'être humain et que, ce faisant, elle est une condition nécessaire à son plein épanouissement. Ces passages de son discours au palais du Latran en 2007 laissent entendre qu'une forme de spiritualité transcendantaliste est nécessaire à l'accomplissement authentique de l'être humain :

> Bien sûr, fonder une famille, contribuer à la recherche scientifique, enseigner, se battre pour des idées, en particulier si ce sont celles de la dignité humaine, diriger un pays, cela peut donner du sens à une vie. Ce sont ces petites et ces grandes espérances « qui, au jour le jour, nous maintiennent en chemin », pour reprendre les termes mêmes de l'encyclique du Saint Père. Mais elles ne répondent pas pour autant aux questions fondamentales de l'être humain sur le sens de la vie et sur le mystère de la mort. Elles ne savent pas expliquer ce qui se passe avant la vie et ce qui se passe après la mort. [...]
>
> Ma conviction profonde, dont j'ai fait part notamment dans ce livre d'entretiens que j'ai publié sur la République, les religions et l'espérance, c'est que la frontière entre la foi et la non-croyance n'est pas et ne sera jamais entre ceux qui croient et ceux qui ne croient pas, parce qu'elle traverse en vérité chacun de nous. Même celui qui affirme ne pas croire ne peut soutenir en même temps qu'il ne s'interroge pas sur l'essentiel. Le fait spirituel, c'est la tendance naturelle de tous les hommes à rechercher une transcendance. Le fait religieux, c'est la réponse des religieux à cette aspiration fondamentale qui existe depuis que l'homme a conscience de sa destinée. [...]

Et puis je veux dire également que, s'il existe incontesta-
blement une morale humaine indépendante de la morale
religieuse, la République a intérêt à ce qu'il existe aussi
une réflexion morale inspirée de convictions religieuses.
D'abord parce que la morale laïque risque toujours de
s'épuiser quand elle n'est pas adossée à une espérance qui
comble l'aspiration à l'infini. Ensuite et surtout parce
qu'une morale dépourvue de liens avec la transcendance
est davantage exposée aux contingences historiques et
finalement à la facilité[5].

Même si le président Sarkozy se garde bien, dans son
discours, d'avancer que l'État doit favoriser les religions
aux dépens des conceptions séculières, la position métaphysique qu'il adopte ne saurait faire partie des principes
de base d'un État laïque. Il est parfaitement possible d'ap-
prouver ou de rejeter la position du président tout en
étant un bon citoyen. Or, le président semble soutenir que
l'épanouissement authentique ne peut qu'échapper aux
personnes qui n'épousent pas une cosmologie et une philosophie morale transcendantaliste, ce qui s'accorde difficilement avec le respect égal que le pouvoir politique doit
accorder aux croyants et aux non-croyants. Si le citoyen
Sarkozy est évidemment libre d'entretenir de telles
croyances, le fait que ces paroles aient été prononcées par
le président de la République dans l'exercice de ses fonctions les rend plus problématiques.

Pourtant, comme nous l'avons soutenu dans la première partie de l'ouvrage, dans le contexte des sociétés contemporaines marquées par la diversité morale et
religieuse, ce ne sont pas les convictions religieuses en

soi qui doivent jouir d'un statut particulier, mais bien l'ensemble des croyances fondamentales qui permettent aux individus de structurer leur identité morale. Le respect égal qui est dû aux convictions de conscience religieuses et séculières est d'ailleurs au moins déjà partiellement reconnu dans la jurisprudence. Pensons, notamment, à l'exemption du service militaire en vertu de l'objection de conscience. Un pacifiste pour qui le refus de recourir à la violence est intimement lié à son autocompréhension en tant qu'agent moral pourra, en période de conscription, se prévaloir du statut d'objecteur de conscience et être ainsi dispensé du port des armes[6]. La liberté de religion doit ainsi être vue comme une sous-catégorie de la liberté de conscience[7]. Comme l'a écrit l'ancien juge en chef Lamer de la Cour suprême du Canada dans l'arrêt *Edwards Books* :

> L'alinéa 2a) a pour objet d'assurer que la société ne s'ingérera pas dans les *croyances intimes profondes* qui régissent la perception qu'on a de soi, de l'humanité, de la nature et, *dans certains cas,* d'un être supérieur ou différent. Ces croyances, à leur tour, régissent notre comportement et nos pratiques[8].

Comme l'a implicitement reconnu la Cour suprême du Canada, les croyances *religieuses* ne sont pas les seules susceptibles de jouer le rôle de points de repère et de critères de jugement dans la vie d'un individu. Les convictions de conscience séculières peuvent tout aussi bien, comme dans le cas du pacifiste, permettre à l'agent de donner une direction à sa vie et d'exercer sa faculté de juger lorsqu'il est confronté à des conflits de valeurs. Ce qui relie ces croyances, c'est qu'elles engagent la conscience de la personne, et celle-ci ne saurait en faire abstraction ou les transgresser sans voir son sentiment d'intégrité morale atteint.

Ainsi, une personne végétarienne a le droit d'exiger, dans un environnement clos comme la prison ou l'avion, qu'on lui offre un menu exempt de viande. On ne voit en effet aucune bonne raison d'établir une hiérarchie, sur le plan des droits, entre une personne dont le végétarisme tire son origine d'une religion (l'hindouisme) et une autre dont le végétarisme vient d'une philosophie morale séculière (les animaux ont aussi, en tant que créatures sensibles, des droits)[9]. Dans les deux cas, demander à quelqu'un d'abandonner ses croyances équivaut à lui infliger un tort excessif. Cela reviendrait à interpréter sa demande comme une simple préférence qu'elle peut facilement oublier ou remplacer. La distinction pertinente n'est donc pas entre les convictions fondamentales de nature religieuse et celles de nature séculière, mais bien entre, d'un côté, les engagements fondamentaux et, de l'autre, les préférences personnelles qui ne sont pas intimement liées à la compréhension que j'ai de moi-même en tant qu'agent moral.

La position défendue ici n'est toutefois pas exempte de difficultés, qui sont en fait des variations autour du problème de la boîte de Pandore. Cette position n'est-elle pas exagérément inclusive ? L'effet combiné de la conception subjective de la liberté de religion et du statut égal accordé aux convictions de conscience séculières et religieuses ne risque-t-il pas de favoriser, d'une part, la multiplication des demandes d'accommodement et, d'autre part, l'instrumentalisation de l'obligation juridique d'accommodement ?

Le problème de la prolifération

Le cœur du problème de la prolifération potentielle des demandes d'accommodement réside dans la difficulté à circonscrire précisément la notion de conviction ou d'engagement fondamental. Comme nous l'avons vu, ce qui définit une conviction fondamentale est le rôle qu'elle joue dans la vie morale d'une personne. Ce type de croyance et d'engagement aide l'individu à résoudre des conflits de valeurs, à se donner un plan de vie, à attribuer un sens à ses actions, bref, à mener une « bonne » vie.

Il faudrait donc que l'on puisse tracer une ligne de démarcation entre les engagements fondamentaux et les préférences personnelles, soit toutes ces choses que l'on souhaite pour nous-mêmes, mais qui ne sont pas intimement liées à notre intégrité morale. Le pluralisme raisonnable des valeurs et des conceptions du bien ainsi que les limites de la raison pratique font en sorte que l'on ne peut simplement se rapporter à une liste objective des croyances et des valeurs qui sont de l'ordre des convictions fondamentales et de celles qui tombent du côté des préférences plus secondaires du point de vue de l'intégrité morale de l'agent. Une conviction *de conscience* comporte une dimension subjective irréductible ; un agent doit attribuer à une croyance donnée une importance spéciale pour qu'elle compte comme une conviction fondamentale ;

c'est à lui qu'il revient d'établir ce qui est central et ce qui est périphérique pour son identité morale. Comme l'a écrit Locke : « Personne ne peut, quand même il le voudrait, croire sur l'ordre d'autrui[10]. » Donc, où tracer la ligne ? On sait que le fait de forcer le végétarien à manger de la viande lui impose un tort moral important, alors que celui d'obliger un professeur d'université à enseigner à 8 h 30 plutôt qu'à 15 h 30 comme il l'a demandé peut lui être désagréable, mais ne le force pas à dévier du chemin que lui indique sa conscience. Plusieurs croyances et valeurs se situent toutefois entre ces deux pôles, et il est difficile d'établir, dans l'abstrait, où passe la frontière entre les préférences et les engagements fondamentaux. S'il n'est pas trop controversé de classer les croyances découlant de doctrines philosophiques, spirituelles ou religieuses établies du côté des convictions de conscience, qu'en est-il du champ plus fluide et éclaté des valeurs ? La personne qui tient au plus haut point à se consacrer à l'accompagnement d'un proche en phase terminale doit-elle être rangée du même côté que la personne végétarienne ou musulmane qui tient à honorer ses obligations morales ? Il faut vraisemblablement répondre par l'affirmative à cette question. On voit mal, d'une part, pourquoi une hiérarchie devrait être créée entre les convictions issues de doctrines séculières ou religieuses établies et les valeurs qui ne découlent pas d'un système de pensée totalisant. Pourquoi, en effet, une conviction devrait-elle être issue d'une doctrine pouvant compter sur des textes exégétiques et apologétiques pour être « profonde » ou « fondamentale » ? D'autre part, l'accompagnement d'un proche malade est pour plusieurs une expérience chargée de sens qui les met face à leur propre finitude et les incite à réévaluer leurs valeurs et engagements[11].

Cette interrogation est d'autant plus importante que plusieurs personnes ne se rapportent pas à ce que Rawls appelle une doctrine «générale» et «compréhensive» pour mener leur vie. Pour Rawls,

une conception morale est générale si elle s'applique à une large gamme d'objets et, à la limite, à tous universellement. Elle est compréhensive quand elle inclut les conceptions de ce qui fait la valeur de la vie humaine, les idéaux du caractère personnel comme ceux de l'amitié ou des relations familiales ou associatives, enfin tout ce qui donne forme à notre conduite [...]. Une conception est pleinement compréhensive si elle concerne toutes les valeurs et les vertus reconnues dans le cadre d'un système articulé d'une manière relativement précise ; elle n'est que partiellement compréhensive quand elle comporte un certain nombre de valeurs et de vertus non politiques sans toutes les inclure, et qu'elle est articulée de façon assez lâche. De nombreuses doctrines religieuses et philosophiques aspirent à être à la fois générales et compréhensives[12].

Par ailleurs, les individus adoptent une conception morale *partiellement* englobante lorsqu'ils tentent d'établir une certaine cohérence entre leurs valeurs sans pour autant chercher à les regrouper au sein d'un schème de pensée complet[13]. Enfin, plusieurs personnes — peut-être la majorité ? — se réfèrent à un ensemble fluide et éclectique de valeurs qui sont plus ou moins bien explicitées et reliées entre elles. Des valeurs sont bel et bien mobilisées dans les prises de décision importantes, mais l'arbitrage entre les valeurs en concurrence se fait *ad hoc* ou de façon ponctuelle. La cohérence elle-même entre les décisions ne sera pas nécessairement une valeur prépondérante dans toutes les situations.

Les personnes qui se rapportent à une doctrine partiellement compréhensive ou à un ensemble de valeurs plus fluide et éclectique sont moins susceptibles de voir leurs valeurs comme autant d'*obligations* ou de règles inconditionnelles d'action. L'arbitrage entre des valeurs qu'elles ne peuvent toutes réaliser de façon à la fois maximale et simultanée — la réussite professionnelle, la vie familiale et l'engagement social, par exemple — étant une réalité structurelle et permanente de leur vie, elles bénéficient d'une marge de manœuvre beaucoup plus grande dans le respect de leurs convictions que celles qui s'en remettent à une doctrine compréhensive (que ce soit une philosophie écocentriste ou une religion monothéiste). Par conséquent, ces personnes pourront, de façon générale, adapter plus facilement leurs croyances et valeurs aux circonstances qui s'imposent à elles et seront ainsi moins susceptibles de revendiquer des mesures d'accommodement. La fonction des valeurs, dans plusieurs cas, relève davantage de l'invitation et de l'incitation que de l'obligation. Cela étant, une circonstance particulière — comme la maladie d'un proche — peut modifier les priorités de cette personne et l'inciter à revendiquer un accommodement ou un dédommagement qui lui permettrait de s'acquitter de son nouveau rôle de proche aidant tout en conservant son emploi[14].

L'inclusion des valeurs au sein de la catégorie des convictions de conscience « traditionnelles » — c'est-à-dire issues de doctrines philosophiques ou religieuses — ne fait rien pour aider à distinguer ces dernières des préférences personnelles. Les valeurs, en tant que raisons nous guidant dans l'action, viennent généralement avec une intensité ou un degré d'identification et d'allégeance variables. La protection de l'environnement peut être une valeur importante, mais cela ne signifie pas qu'elle sera une raison suffisante pour que nous renoncions complètement à prendre l'avion. La place d'une valeur dans l'identité morale d'un individu doit donc être évaluée de façon contextuelle et relationnelle. Les croyances, valeurs et préférences peuvent généralement être placées sur une échelle allant des simples désirs auxquels nous pouvons facilement renoncer jusqu'aux convictions les plus profondes.

La volonté d'en arriver à une conception qui n'est pas excessivement inclusive de la liberté de conscience en amène plusieurs à conclure que les croyances séculières qui peuvent légitimement fonder des demandes d'accommodement sont celles qui partagent un certain nombre de propriétés avec les croyances religieuses, qui font figure de cas paradigmatiques. Une des options à première vue les plus satisfaisantes consiste à penser que les croyances séculières qui doivent faire l'objet d'un traitement identique aux croyances religieuses sont celles qui s'intéressent explicitement à des questions ultimes de l'existence humaine, comme le sens de la vie et de la mort, la place de l'être humain dans l'univers, les sources de la morale, etc. Une personne peut puiser dans des sources philosophiques séculières, comme le rationalisme kantien, le transcendantalisme américain, l'écologie profonde d'Arne Naess et l'existentialisme athée, pour répondre aux questions fondamentales de l'existence humaine. Dans l'arrêt *Seeger*, la Cour suprême des États-Unis en est venue à la conclusion que l'objection de conscience au service militaire obligatoire pouvait prendre appui non seulement sur des croyances religieuses pacifistes, mais aussi sur « une croyance sincère et significative qui occupe, dans la vie de celui qui la détient, une *place parallèle à celle occupée par Dieu* » chez les personnes religieuses[15].

Dans le même esprit, Martha Nussbaum défend une position analogue à celle des « questions ultimes ». Pour Nussbaum, c'est la « faculté avec laquelle chaque personne cherche le sens ultime de la vie » qui possède une valeur intrinsèque et qui mérite d'être protégée. Cette faculté, écrit-elle,

> s'identifie en partie par ce qu'elle fait — elle raisonne, recherche et fait l'expérience des émotions d'aspiration qui sont liées à cette quête — et en partie par son objet, c'est-à-dire les questions ultimes, les questions de sens ultime. C'est cette faculté, et non ses buts, qui est la base du respect politique qui lui est dû. Nous pouvons ainsi nous entendre pour respecter cette faculté sans pour autant devoir préjuger de la réponse à la question de savoir s'il y a bel et bien un sens à trouver et ce qu'il pourrait être[16].

Bien qu'intuitivement plausibles, ces positions centrées sur les « questions ultimes » et sur la faculté cognitive nous permettant de nous engager dans une telle quête ont le défaut d'être inflationnistes ou insuffisamment prosaïques. Elles sont insuffisamment prosaïques, car elles excluent du champ de la liberté de conscience et de l'obligation d'accommodement les personnes qui peuvent en venir à s'identifier intensément à des valeurs sans toutefois s'être engagées dans une démarche fortement contemplative, réflexive et systématique sur le sens et les finalités profondes de la vie humaine. Un homme peut très bien en arriver à croire qu'une vie dans laquelle il ne pourrait pas se consacrer à sa femme ou à son enfant gravement malade n'a pas de sens, sans mener pour autant une réflexion métaphysique soutenue sur l'existence humaine. Les positions centrées sur les questions ultimes et sur la faculté qui nous permet d'y réfléchir semblent reposer sur la croyance, que l'on trouve à la fois dans la philosophie grecque antique et dans la pensée chrétienne, en la supériorité de la *vita contemplativa* par rapport à la *vita activa*. Ce postulat est particulièrement problématique dans un contexte — celui de la modernité — où un grand nombre de personnes cherchent à se réaliser en s'investissant dans les différentes dimensions de la « vie ordinaire » (le couple et la famille, le travail, l'amitié, le style de vie, etc.)[17]. De même, la primauté accordée à la vie contemplative ou à la recherche spirituelle systématique semble désavantager ceux et celles — nombreux — qui, comme nous l'avons vu, ne se rapportent pas à une doctrine complète et systématique dans la conduite de leur vie. Cette primauté s'accorde donc mal avec la nécessaire neutralité de l'État par rapport aux conceptions du bien. C'est pourquoi nous considérons que c'est plutôt l'intensité de l'engagement de la personne envers une conviction donnée qui constitue l'élément de similarité entre les croyances religieuses et les convictions séculières relevant elles aussi de la liberté de conscience. Cette position inclut plus facilement les convictions et engagements fondamentaux qui ne sont pas rattachés à une doctrine systématique ou qui ne sont pas nécessairement le fruit d'une réflexion philosophique fondamentale sur le sens de l'existence. Toutefois, elle n'offre toujours pas de réponse au danger de la prolifération des demandes d'accommodement, sur lequel nous reviendrons au chapitre 11.

Le problème de l'instrumentalisation

Un autre problème inhérent à la position libérale et subjectiviste est celui de l'instrumentalisation des convictions de conscience et de l'obligation juridique d'accommodement. Comment se prémunir contre la possibilité que la liberté de religion soit invoquée de façon opportuniste ou frauduleuse ? Un employé pourrait par exemple invoquer stratégiquement la liberté de conscience afin d'obtenir des congés payés supplémentaires ou un horaire de travail qui sied mieux à ses préférences. L'effritement de la distinction entre liberté de conscience et liberté de religion ainsi que la conception subjective de la liberté de religion adoptée par les tribunaux facilitent la tâche de celui qui voudrait faussement prétendre être animé par des convictions profondes ; ils peuvent aussi inciter une personne sincèrement animée par une croyance à la radicaliser[18]. Un croyant qui n'a à démontrer ni l'existence objective d'une croyance ni son observance par la majorité de ses coreligionnaires pourrait être encouragé à prétendre qu'il ne dispose d'aucune marge de manœuvre dans l'interprétation de sa croyance et que tout compromis qui lui serait imposé restreindrait sa liberté de conscience de façon excessive. Ainsi, un juif orthodoxe qui croit sincèrement qu'il doit prendre ses repas dans une souccah pendant la fête du souccoth pourrait s'appuyer sur la conception subjective de la liberté de religion pour prétendre qu'il croit sincèrement qu'il doit avoir accès à *sa propre* souccah plutôt qu'à *une* souccah[19].

La conception subjective de la liberté de religion fait en sorte que les tribunaux ne peuvent, comme nous l'avons vu, statuer sur l'interprétation vraie d'une croyance religieuse donnée et arbitrer ainsi les inévitables conflits d'interprétation qui traversent toutes les communautés religieuses. Ils peuvent toutefois évaluer la sincérité des prétentions de la personne qui invoque la liberté de religion. Ce test de sincérité ne doit pas être trop intrusif et ne doit pas interpréter chaque inflexion dans la pratique religieuse de l'individu comme une preuve indubitable d'insincérité. La liberté de conscience inclut la liberté de réviser ses choix de conscience. Cela étant, même si l'évaluation de la sincérité est faillible, elle fait partie intégrante du travail normal des tribunaux dans tous les champs du droit et elle repose sur un ensemble de critères, dont la crédibilité du témoignage de celui qui invoque la liberté de religion[20]. En outre, il ne suffit pas, pour le demandeur, de simplement *affirmer* qu'il croit sincèrement qu'une conviction donnée doive se traduire dans l'action d'une façon particulière ; il doit aussi *expliquer* pourquoi cette conviction ou cette valeur est intimement liée à son intégrité morale et comment il tente de la respecter ou d'être à sa hauteur dans la conduite de sa vie[21]. Puisque l'attribution d'un accommodement modifie les termes de la coopération sociale ou du schème de distribution des ressources, le demandeur doit justifier en raisons sa requête ; en d'autres termes, il fait face à un devoir de justification publique.

11

Les limites raisonnables
à la liberté de conscience

Élargir la catégorie des convictions et des engagements
fondamentaux pour y intégrer les valeurs qui ne sont pas
dérivées d'un système philosophique ou religieux complet peut sembler ouvrir la porte à un nombre potentiellement trop grand d'accommodements, ainsi qu'à leur
instrumentalisation. Cependant, s'en remettre à la souveraineté de l'agent quant à ses choix de conscience ne signifie pas qu'il est impossible de baliser les demandes d'accommodement. En plus de la sincérité de la croyance, les
tribunaux peuvent évaluer les *effets* prévisibles de l'accommodement demandé sur les droits d'autrui et sur la
capacité de l'institution concernée à réaliser ses finalités.
Nous entrons ici sur le terrain de ce que les cours ont
appelé la « contrainte excessive » *(undue hardship)* ou de
l'intérêt législatif prépondérant *(compelling state interest)*.
Une demande pourrait être refusée dans les cas où la
mesure d'accommodement revendiquée *a)* entraverait
significativement la réalisation des finalités de l'institution
visée (éduquer, soigner, offrir des services publics, faire
des profits, etc.) ; *b)* engendrerait des coûts excessifs ou des
contraintes fonctionnelles sérieuses ; ou *c)* porterait atteinte

aux droits et libertés d'autrui[1]. Les droits et libertés individuels fondamentaux, faut-il le rappeler, ne sont pas conçus
par la tradition libérale comme étant absolus. On peut
légitimement restreindre l'exercice d'un droit afin de protéger les droits d'autrui ou de permettre au pouvoir public
de légiférer en fonction de l'intérêt général[2]. Pensons, par
exemple, au cas des parents jéhovistes qui ont refusé, au
nom de leur liberté de religion et de leur autorité parentale, que l'on administre une transfusion sanguine à leur
enfant. La transfusion sanguine étant essentielle à la survie de l'enfant, la direction de l'hôpital a décidé de passer
outre le refus des parents. La cause ayant été portée devant
les tribunaux, la Cour suprême du Canada a jugé que la
décision de l'hôpital était fondée en droit même si elle
avait bel et bien porté atteinte à la liberté de religion des
parents[3]. L'exercice de pondération des droits concurrents
a révélé que le droit à la vie de l'enfant, d'une part, et la
liberté religieuse des parents et leur autorité parentale,
d'autre part, ne pouvaient être réconciliés. La transfusion
sanguine ne pouvait être remplacée par un autre traitement médical, et le jéhovisme ne permet, du moins selon
l'interprétation des parents, aucune exception à la règle
interdisant l'injection du sang d'une autre personne. Le
respect des droits des parents était ici, de façon évidente,
trop attentatoire au droit à la vie de la personne mineure
qu'était leur enfant[4]. En revanche, la décision de l'hôpital
a porté atteinte aux droits des parents dans un contexte
précis et limité, sans pour autant les anéantir complètement. L'atteinte était sérieuse, mais elle ne forçait les
parents à renoncer ni à leur religion ni à leur autorité sur
leur enfant. Ce cas démontre que des restrictions sérieuses

à la liberté de religion sont parfois légitimes même à la lumière d'une conception large et généreuse de la liberté de conscience et de religion.

La liberté de conscience et l'autorité parentale pourront aussi être restreintes, même dans le cadre d'un régime libéral et pluraliste de laïcité, dans les cas de conflits entre les croyances des parents et le contenu de certains cours enseignés à l'école. Des parents religieux peuvent revendiquer que leurs enfants soient exemptés des cours d'éducation sexuelle, d'éthique, de culture religieuse ou d'éducation civique afin qu'ils ne soient pas exposés à des modes de vie ou à des croyances qui contredisent ou relativisent les convictions religieuses transmises à la maison. Il se peut, dans ces cas, que les exemptions demandées compromettent la réalisation d'une des finalités importantes de l'enseignement primaire et secondaire, à savoir l'apprentissage de la tolérance et du vivre-ensemble dans le contexte de sociétés diversifiées sur le plan des croyances et des valeurs[5]. Les élèves sont des citoyens en devenir qui devront interagir et apprendre à coopérer avec des concitoyens aux profils identitaires divers (identité sexuelle, culture, religion, classe sociale, système de valeurs, etc.). Cet apprentissage sera entravé si les élèves sont séparés en fonction des croyances religieuses de leurs parents.

De plus, la mondialisation se traduisant entre autres choses par une compression du temps et de l'espace et par l'enchevêtrement entre l'« ailleurs » et l'« ici », il importe plus que jamais que les citoyens de demain aient les connaissances leur permettant de comprendre ce qui se passe à l'étranger et qu'ils développent leur capacité à dialoguer de façon raisonnée. Ce faisant, l'éducation à la tolé-

rance et au pluralisme justifiera, dans certaines circonstances, que les demandes d'exemption des parents soient
refusées et que leurs enfants soient exposés à des contenus
qui entrent en tension avec des croyances transmises à la
maison. Ce genre de restriction de la liberté de conscience
et de l'autorité parentale est raisonnable et justifié dans la
mesure où il ne s'agit pas d'imposer aux enfants des
croyances érigées en dogmes ou une conception particulière de la vie bonne, mais bien de leur transmettre des
connaissances et de leur permettre de développer certaines
aptitudes, dont celles favorisant l'exercice de la citoyenneté[6]. Par exemple, un jeune juif hassidique ne devrait pas
voir ses croyances directement attaquées par le programme
obligatoire, mais il devrait, à sa sortie de l'école, avoir une
compréhension satisfaisante des principes et des institutions de base sur lesquels repose la vie en collectivité, ainsi
que des systèmes de croyances et de valeurs distincts partagés par d'autres membres de la société avec lesquels il
aura parfois à interagir.

Cela étant dit, il est probablement déraisonnable d'attendre d'une théorie normative qu'elle offre une réponse
qui semble intuitivement adéquate à tous les cas empi-
riques imaginables qui pourraient se présenter. Comme
nous l'avons vu, la position que nous avons défendue ici
semble vulnérable face à la possibilité qu'un individu se
fonde sur des croyances hautement excentriques ou sur
des goûts dispendieux pour revendiquer des accommodements ou des exemptions. Le cas échéant, le demandeur
aurait à expliquer pourquoi ces croyances sont intimement liées à sa compréhension de ce qu'est une vie réussie
et à démontrer qu'il les partage de façon sincère. Une fois

cette étape franchie, la preuve devrait être faite que l'acceptation de sa demande n'entraînera pas de contraintes fonctionnelles ni de coûts excessifs, qu'elle n'entravera ni les finalités de l'institution ni la réalisation d'un objectif législatif prépondérant et, enfin, qu'elle ne restreindra pas de façon significative les droits et libertés d'autrui. On ne peut exclure *a priori* la possibilité que des individus insincères ou ayant des croyances excentriques ou des goûts dispendieux passent ces deux étapes justificatives et obtiennent des mesures d'accommodement. La philosophie morale, on le sait, se délecte des exemples fictifs et tirés par les cheveux. Toute théorie ayant ses angles morts, nous croyons qu'une théorie dont le point faible est l'éventuelle inclusion de cas hypothétiques hautement improbables est de loin préférable à une autre qui exclut des croyances ou des valeurs fondamentales sous prétexte qu'elles ne ressemblent pas suffisamment aux convictions fondamentales religieuses ou séculières paradigmatiques.

Conclusion

L'avenir de la laïcité. De la mise à distance de la religion à l'aménagement de la diversité

L'évolution des sociétés démocratiques contemporaines suggère qu'il est temps de reconcevoir le sens et les finalités de la laïcité. Si, de saint Augustin jusqu'à l'ère moderne, la question du rapport entre le pouvoir politique et le pouvoir spirituel était à l'avant-plan, les défis de l'époque actuelle sont de nature différente. Si l'on pense spontanément que l'objet d'un régime laïque demeure la relation appropriée entre l'État et les religions, sa tâche plus large et urgente aujourd'hui est de faire en sorte que les États démocratiques s'adaptent adéquatement à la diversité morale et spirituelle profonde qui existe au sein de leurs frontières. En effet, on ne voit pas de raisons de principe pour isoler la religion et la mettre dans une classe à part par rapport aux autres conceptions du monde et du bien. L'État doit traiter avec un respect égal toutes les convictions et tous les engagements fondamentaux qui sont compatibles avec les exigences de la vie en société. Si le passé de l'Occident explique la fixation sur la religion que l'on remarque encore aujourd'hui dans les débats publics — une fixation qui n'est peut-être nulle part plus percep-tible que dans la multiplication des livres attaquant la crédibilité des croyances religieuses[1] —, l'état des sociétés contemporaines exige que nous dépassions cette fixation et que nous pensions à l'aménagement juste de la diversité morale qui les caractérise maintenant. Le champ d'application de la gouvernance laïque s'est élargi pour inclure toutes les options morales, spirituelles et religieuses.

Mais les rapports entre les personnes religieuses et non religieuses sont souvent caractérisés par l'incompréhension, la méfiance, parfois même par l'intolérance mutuelle. Des athées et des agnostiques conçoivent difficilement que des individus adhèrent encore aujourd'hui à des croyances religieuses dont la vérité ne peut être établie par la démarche scientifique. Des personnes religieuses considèrent que les « matérialistes », au sens philosophique du terme[2], sont incapables de mener une vie morale authentique, d'épouser des causes qui dépassent leurs intérêts égoïstes, et qu'ils entretiennent par conséquent une conception réductrice de l'existence humaine. Les quiproquos et malentendus concernent parfois des groupes particuliers. Plusieurs voient l'islam comme étant intrinsèquement incompatible avec les valeurs démocratiques et libérales. Des islamistes voient la culture occidentale comme étant irrémédiablement vile et corrompue.

Or, comme nous l'avons vu, la diversité morale et religieuse est une caractéristique structurante et, pour autant que l'on puisse en juger, permanente des sociétés démocratiques. Des personnes épousant des représentations du monde et des schèmes de valeurs différents, parfois inconciliables, doivent apprendre à coopérer et à résoudre leurs différends. Dans certains cas, les croyances fondamentales des individus, qu'elles soient religieuses ou séculières, sont source d'authentiques désaccords éthiques et politiques. Les accommodements religieux sont-ils légitimes? Quelles sont les limites de la liberté de religion? Que doit-on enseigner à nos enfants et quelles sont les limites de l'autonomie parentale? Quel est le statut des croyances religieuses dans la délibération publique? Les agents publics doivent-ils pouvoir arborer des signes religieux? Quelle doit être la place des signes et rituels religieux de la majorité dans l'espace public? Doit-on limiter la liberté d'expression lorsqu'il s'agit de la représentation des traditions religieuses?

Nous avons soutenu plus haut que la coopération sociale dans les sociétés diversifiées prend sa source dans la possibilité d'un accord entre citoyens raisonnables au sujet des principes de base de leur association politique. La stabilité et la cohésion de ces sociétés dépendent ainsi de la volonté de citoyens aux conceptions du bien divergentes d'accepter l'autorité de principes communs fondant leurs institutions politiques. Il s'agit en quelque sorte d'un approfondissement de l'idéal de tolérance ayant permis de mettre un terme aux conflits religieux. Ce type de société exige des citoyens qu'ils fassent abstraction des désaccords moraux et philosophiques, parfois profonds, qu'ils ont avec leurs concitoyens au nom de leur intérêt plus fondamental à vivre dans une société suffisamment stable et harmonieuse. Il importe donc que l'on réfléchisse à l'éthos ou à la culture civique susceptible de soutenir une telle morale politique.

Il semble raisonnable de penser qu'une éthique du dialogue respectueuse des différentes perspectives métaphysiques et morales est la mieux à même de soutenir la morale politique minimale ou le « consensus par recoupement », auquel nous avons fait allusion à plusieurs reprises dans le présent ouvrage. À l'aune d'une telle éthique du dialogue, les citoyens engagent franchement la discussion sur les fondements et les orientations de leur communauté politique, dans le langage explicatif et justificatif de leur choix, tout en faisant preuve de sensibilité ou d'empathie à l'égard des convictions fondamentales qui sont parties intégrantes de l'identité morale de leurs concitoyens.

Mais comment concilier cette éthique du dialogue avec le fait que les États libéraux et démocratiques se définissent par ailleurs comme des « sociétés ouvertes », soit des sociétés dans lesquelles règnent la liberté d'expression et les débats d'idées vigoureux ? Comme l'a fait valoir Karl Popper, c'est même l'institutionnalisation de la liberté de pensée et d'expression qui protège ces sociétés contre la stagnation et la tentation de se refermer sur elles-mêmes. C'est ainsi que les personnes religieuses sont ponctuellement exposées à des points de vue remettant en question la validité de leurs croyances fondamentales ou tournant celles-ci en dérision. Certaines créations artistiques — pensons aux *Versets sataniques* de Salman Rushdie, aux caricatures de Mahomet publiées au Danemark dans le *Jyllands-Posten* et réimprimées dans certains autres journaux occidentaux (notamment, de façon particulièrement tapageuse, par *Charlie Hebdo*) et aux films de Martin Scorsese et de Mel Gibson sur le Christ — sont en effet jugées offensantes, sinon carrément blasphématoires, par des croyants.

Devons-nous limiter la liberté d'expression au nom du respect de ce qui appartient, pour certains croyants, à la sphère du sacré? Nous ne le croyons pas. Sauf dans les cas flagrants de diffamation ou d'incitation à la haine, l'État ne peut restreindre la liberté d'expression de certains sous prétexte que des idées ou des représentations ont pour effet de profaner ce qui relève, pour d'autres, du sacré. L'État pluraliste ne peut adopter ni l'ontologie générale selon laquelle l'univers doit être compris dans les termes de la dyade sacré-profane ni une conception particulière du sacré. L'État démocratique et libéral se travestirait s'il s'arrogeait le droit de statuer sur de telles questions métaphysiques. Les tentatives de restriction de la liberté d'expression fondées sur le caractère perçu comme diffamatoire ou blasphématoire d'idées ou de manifestations artistiques sont donc très fragiles sur le plan de la philosophie politique et de la philosophie des droits et libertés. On ne voudrait certes pas vivre dans une société où Salman Rushdie ou Richard Dawkins seraient censurés. Au même titre que la liberté de religion n'inclut pas le droit de ne pas être exposé à des signes religieux[3], le prix à payer pour vivre dans une société qui protège l'exercice des libertés de conscience et d'expression est d'accepter d'être exposé à des croyances et à des pratiques que nous jugerons fausses, ridicules ou blessantes.

Cela étant, le fait que l'on ait le droit de faire *x* ne signifie pas que *x* soit sage ou désirable. Lorsqu'il s'agit de la publication de textes ou de contenus artistiques, ne serait-il pas souhaitable que l'on cherche d'abord à comprendre comment notre acte sera perçu par autrui et à anticiper son impact sur le lien social? Un certain degré de stabilité politique et de cohésion sociale peut bien sûr être atteint par l'institutionnalisation de règles collectives justes et efficaces, mais l'effet de ces dernières ne pourrait qu'être renforcé par ce que l'on peut appeler une éthique du souci de l'autre, qui invite à l'empathie et au décentrement.

La prise en considération de la perspective d'autrui ne signifie pas nécessairement que l'on évitera à tous les coups de mettre sur la place publique des idées qui pourraient offenser certains groupes de citoyens. Alors que les moqueries de Salman Rushdie dans les *Versets sataniques* se situaient au cœur d'une œuvre offrant un portrait saisissant de la condition humaine à l'ère de la mondialisation, il est plausible que la republication des caricatures de Mahomet dans *Charlie Hebdo* n'ait servi qu'à attiser le conflit et à alimenter les idées de grandeur des artisans de l'hebdomadaire[4]. La décision de la vaste majorité des médias occidentaux de ne pas souffler sur les braises du malentendu en ne réimprimant pas les caricatures témoigne d'un jugement sage quant à l'exercice du droit à la liberté d'expression. De même, il est possible pour les leaders religieux d'indiquer comment les religions nous donnent accès à une façon unique d'habiter le monde moderne sans pour autant laisser entendre qu'une vie menée à l'aune d'une vision séculière du monde et du bien est inévitablement incomplète ou corrompue. Cette sensibilité éthique ne peut être imposée à coups de lois, mais elle peut être encouragée par nos institutions, et pratiquée et promue par des citoyens dans leur vie privée et associative. Fait intéressant, les deux philosophes contemporains associés le plus intimement à la réactualisation du rationalisme kantien — John Rawls et Jürgen Habermas

— en sont tous les deux arrivés à la conclusion, après avoir défendu des visions plus restrictives, que les perspectives religieuses sont des sources morales importantes pouvant contribuer de façon significative à l'approfondissement de la culture démocratique[5].

Bref, les sociétés contemporaines doivent développer le savoir éthique et politique qui leur permettra d'aménager de façon juste et stable la diversité morale, spirituelle et culturelle qui les anime. Les tenants de visions du monde comme les grands monothéismes historiques, les religions orientales, l'éclectisme spirituel, les spiritualités autochtones, l'athéisme militant, l'agnosticisme, etc., doivent apprendre à cohabiter et, idéalement, à établir des liens de solidarité. Nous croyons que la laïcité pluraliste esquissée dans ce livre, soutenue par une éthique du dialogue respectueuse des différentes options morales et spirituelles, est la mieux à même de favoriser cet apprentissage.

Notes

AVANT-PROPOS

1. Voir le site Internet officiel de la Commission : www.accom
   modements.qc.ca

INTRODUCTION

1. Voir *Fonder l'avenir. Le temps de la conciliation. Rapport final
   de la Commission de consultation sur les pratiques d'accommodement reliées aux différences culturelles*, 2008 ; Marion Boyd,
   *Résolution des différends en droit de la famille : pour protéger le
   choix, pour promouvoir l'inclusion*, Ontario, Ministère du Pro-
   cureur général, 2004 ; Condition féminine Canada, *La Polyga-
   mie au Canada. Conséquences juridiques et sociales pour les
   femmes et les enfants*, Ottawa, 2005 ; Bernard Stasi, *Rapport de
   la Commission de réflexion sur l'application du principe de laïcité
   dans la République*, France, décembre 2003 ; Discours de Nicolas Sarkozy au palais du Latran, 20 décembre 2007 ; Tariq
   Modood, « Rebâtir le multiculturalisme en Grande-Bretagne
   après les attentats du 7 juillet 2005 », *Éthique publique*, vol. 9,
   n° 1, 2007 ; Ian Buruma, *Murder in Amsterdam : The Death of
   Theo van Gogh and the Limits of Tolerance*, New York, Penguin
   Press, 2006 ; Kent Greenawalt, *Religion and the Constitution*,
   Princeton (N. J.), Princeton University Press, 2006 (tome 1) et
   2008 (tome 2) ; Rajeev Bhargava (dir.), *Politics and Ethics of the*

Indian Constitution, Oxford, Oxford University Press, 2008. Et les pays musulmans ne sont pas en reste. Voir la stimulante réflexion de Abdullahi Ahmed An-Na'im, *Islam and the Secular State: Negotiating the Future of Shari'a,* Cambridge (Mass.), Harvard University Press, 2008.

PREMIÈRE PARTIE — PENSER LA LAÏCITÉ
I • PLURALISME MORAL, NEUTRALITÉ ET LAÏCITÉ

1. Isaiah Berlin, « Deux conceptions de la liberté », *Éloge de la liberté,* Paris, Calmann-Lévy, 1988.
2. Comme le demande Locke, « un seul d'entre ces chemins est la voie véritable du salut ? Mais sur les mille chemins que les hommes prennent, il s'agit de savoir quel est le bon : ni le soin de l'État, ni le droit de faire des lois ne permettent au magistrat de découvrir le chemin qui mène au ciel plus sûrement que ne le font la réflexion et l'étude à un particulier ». John Locke, *Lettre sur la tolérance,* Paris, Presses universitaires de France (« Quadrige »), 1999, p. 39-41. Voir aussi John Stuart Mill, *De la liberté,* Paris, Gallimard, 1990.
3. John Rawls, *Libéralisme politique,* Paris, Presses universitaires de France (« Quadrige »), 2001, p. 13.
4. On pourrait parler du perfectionnisme « faible » ou « minimal » de l'État libéral. Voir William A. Galston, *Liberal Pluralism: The Implications of Value Pluralism for Political Theory and Practice,* Cambridge et New York, Cambridge University Press, 2002.
5. Voir John Rawls, *Libéralisme politique,* p. 171-172.
6. Voir Charles Taylor, « L'identité et le bien », *Les Sources du moi. La formation de l'identité moderne,* Montréal, Boréal, 1998, p. 15-147.
7. Marcel Gauchet, *La Religion dans la démocratie,* Paris, Gallimard, 1998, p. 47-50.
8. *Idem.*

9. Voir Charles Taylor, *A Secular Age*, Cambridge (Mass.), The Belknap Press of Harvard University Press, 2007.

10. Des parents en Norvège, en Espagne, aux États-Unis, en Grande-Bretagne, au Canada et au Québec ont contesté à différents moments des parties du programme scolaire, dont des cours d'éducation à la sexualité, à la citoyenneté ou aux cultures religieuses, sous prétexte que le contenu enseigné fragilisait les croyances religieuses qu'ils souhaitaient transmettre à leurs enfants. Voir, par exemple, *Mozert* v. *Hawkins County Board of Education*, 827 F. 2d 1058 (C.A. 6th Cir. 1987) ; *Folgero and Others* v. *Norway*, ECHR, Grand Chamber, application no. 15472/02, 29 juin 2007 ; Chamberlain *c*. Surrey School District no. 36, [2002] 4 R.C.S. 710, 2002 CSC 86. Sur le sort des groupes religieux traditionalistes dans les démocraties libérales, voir Jeff Spinner-Halev, *Surviving Diversity*, Baltimore, Johns Hopkins University Press, 2000.

11. Sur l'idée que le sacré fonde la société, voir Émile Durkheim, *Les Formes élémentaires de la vie religieuse*, Paris, Presses universitaires de France, 1968.

12. John Rawls, *Libéralisme politique*, p. 14 et 61-66.

2 • LES PRINCIPES DE LA LAÏCITÉ

1. La conjugaison de la séparation des pouvoirs politique et religieux et du respect de la liberté de conscience (et d'association) implique que les associations religieuses soient elles aussi autonomes dans leurs champs de compétences, bien qu'elles restent soumises à l'obligation de respecter les droits humains fondamentaux et les lois en vigueur. Il y a ainsi autonomie réciproque entre le pouvoir politique et les communautés religieuses. D'un côté, les religions n'ont pas de lien privilégié avec l'État. De l'autre, les Églises ne doivent pas être sous le contrôle de l'État, comme on le voit de nos jours en Turquie, où le gouvernement exerce un contrôle rigide sur le clergé de l'Islam sunnite. Dans la même veine, sur les racines du « pouvoir régalien » que s'ar-

roge l'État français dans son rapport avec les religions, voir Jean Baubérot, *Histoire de la laïcité en France,* Paris, Presses universitaires de France (« Que sais-je ? »), 2007.

2. Thomas Nagel, « Moral Conflict and Political Legitimacy », *Philosophy and Public Affairs,* vol. 16, n° 3, 1987, p. 215-240.

3. Cela ne signifie pas que les raisons offertes par les citoyens dans le débat public doivent être épurées, purgées de toute référence à leur système particulier de croyances et de valeurs. Toutes les options spirituelles et morales doivent pouvoir être entendues dans les débats portant sur les grands enjeux publics. Il est toutefois peu probable que les croyants parviendront à convaincre leurs concitoyens du bien-fondé de leur position s'ils ne leur offrent pas aussi des raisons pouvant être acceptées à la lumière de systèmes de croyances et de valeurs différents. Voir, entre autres, Christopher Eberle, *Religious Convictions in Liberal Politics,* Cambridge, Cambridge University Press, 2002.

4. Martha Nussbaum, *Liberty of Conscience: In Defense of America's Tradition of Religious Equality,* New York, Basic Books, 2008, p. 21-22.

5. Voir le développement de Rawls sur les « difficultés du jugement » eu égard aux conceptions du bien, dans John Rawls, *Libéralisme politique,* p. 83-87.

6. Micheline Milot, *Laïcité dans le Nouveau Monde. Le cas du Québec,* Turnhout (Belgique), Brepols (« Bibliothèque de l'École des Hautes Études/Sorbonne »), 2002, p. 34.

7. Voir Martha Nussbaum, *Liberty of Conscience,* p. 22-25.

8. Bernard Stasi, *Rapport de la Commission de réflexion sur l'application du principe de laïcité dans la République,* p. 9. Rajeev Bhargava soutient pour sa part que la laïcité indienne est elle aussi fondée sur une pluralité de valeurs. Voir Rajeev Bhargava, « Political Secularism », dans John Dryzek, B. Honig et Anne Philips (dir.), *A Handbook of Political Theory,* Oxford, Oxford University Press, 2006, p. 636-655.

9. Un certain nombre de Länder allemands interdisent le port du voile par les enseignantes, alors qu'au Royaume-Uni la déci-

sion est laissée à la discrétion des écoles. Voir les études comparatives sur l'Allemagne et le Royaume-Uni de Leslie Seidle, menées dans le cadre de la Commission de consultation sur les pratiques d'accommodement reliées aux différences culturelles, rassemblées dans *Comparative Research and Analysis Country Profiles*, www.accommodements.qc.ca/documenta tion/rapports-experts.html, consulté le 7 mai 2009.

10. Henri Pena-Ruiz, *Histoire de la laïcité. Genèse d'un idéal*, Paris, Gallimard, 2005, p. 134.

11. Nous remercions Solange Lefebvre de nous avoir encouragés à clarifier notre position sur cette question.

3 • LES RÉGIMES DE LAÏCITÉ

1. Henri Pena-Ruiz, *Dieu et Marianne. Philosophie de la laïcité*, Paris, Presses universitaires de France, 2005, p. 225.

2. Régis Debray, *Cours de médiologie générale*, Paris, Gallimard, 1991, p. 356.

3. Une personne peut, par exemple, arriver rationnellement à la conclusion qu'il existe des questions d'ordre métaphysique que la plupart des individus se posent, mais auxquelles la raison humaine et la science n'arrivent pas à offrir des réponses définitives ou satisfaisantes, ou qu'une vision du monde dans laquelle rien ne transcende l'être humain est préoccupante.

4. Voir le discours de Jacques Chirac sur la laïcité, 17 décembre 2003, à l'Élysée.

5. Voir la loi 2004-228 du 15 mars 2004 encadrant, en application du principe de laïcité, le port de signes ou de tenues manifestant une appartenance religieuse dans les écoles, collèges et lycées publics, ainsi que la circulaire du 18 mai 2004 relative à la mise en œuvre de la loi 2004-228.

6. Bernard Stasi, *Rapport de la Commission de réflexion sur l'application du principe de laïcité dans la République*, p. 10.

7. Voir José Woehrling, « The Open Secularism Model of the Bouchard-Taylor Commission Report and the Decisions of

the Supreme Court of Canada on Freedom of Religion and Religious Accommodation », dans Howard Adelman et Pierre Anctil (dir.), *Religion, Culture and State — Canada and Québec*, Toronto, University of Toronto Press, 2009.

8. Bernard Stasi, *Rapport de la Commission de réflexion sur l'application du principe de laïcité dans la République*, p. 58.

9. Il est ainsi peu probable que la loi française ait résisté à un test de proportionnalité semblable à celui élaboré par les tribunaux canadiens, selon lequel 1) il doit y avoir un « lien rationnel » évident entre la mesure législative restreignant un droit et l'objectif visé par la mesure en question ; et 2) l'atteinte au droit doit être aussi minimale que le permette la réalisation de l'objectif visé. Voir *R. c. Oakes,* [1986] 1 R.C.S. 103.

10. La conception libérale et pluraliste de la laïcité recoupe ce que Micheline Milot appelle la « laïcité de reconnaissance ». Selon elle, la laïcité de reconnaissance « est sans doute, parmi les différentes modalités de mise en œuvre de la laïcité, la plus exigeante socialement, éthiquement et politiquement ». Micheline Milot, *La Laïcité*, Ottawa, Novalis, 2008, p. 65.

4 • LA SPHÈRE PUBLIQUE ET LA SPHÈRE PRIVÉE

1. Voir Jürgen Habermas, *L'Espace public. Archéologie de la publicité comme dimension constitutive de la société bourgeoise*, Paris, Payot, 1978.

2. On retrouve, dans le discours de Jacques Chirac sur la laïcité du 17 décembre 2003, la remarque suivante : « En revanche les signes ostensibles, c'est-à-dire ceux dont le port conduit à se faire remarquer et reconnaître immédiatement à travers son appartenance religieuse, ne sauraient être admis. Ceux-là — le voile islamique, quel que soit le nom qu'on lui donne, la kippa ou une croix manifestement de dimension excessive — n'ont pas leur place dans les enceintes des écoles publiques. L'école publique restera laïque. »

3. Québec, Projet de loi 95 (2005, chap. 20) — Loi modifiant

diverses dispositions législatives de nature confessionnelle dans le domaine de l'éducation.

5 • LES SIGNES ET LES RITUELS RELIGIEUX DANS L'ESPACE PUBLIC

1. Discours de Jacques Chirac sur la laïcité, 17 décembre 2003, à l'Élysée.
2. Micheline Milot, *La Laïcité*, p. 99.
3. Nous n'excluons pas qu'il puisse y avoir d'autres raisons d'interdire ces signes chez les enseignantes, mais nous croyons que celles évoquées ici suffisent largement à justifier une telle interdiction.
4. *R. c. S. (R.D.)*, [1997] 3 R.C.S. 484, paragraphe 35.
5. Nous avons profité sur cette question de l'analyse de Pierre Bosset.
6. La même observation s'applique pour les pratiques dont la teneur religieuse est faible ou absente. Le sapin de Noël, par exemple, est un symbole d'origine païenne, sans véritable charge religieuse, adopté dans plusieurs sociétés fortement sécularisées. La fête de Noël elle-même est célébrée dans certaines sociétés non chrétiennes comme le Japon.
7. Pierre Bosset, *Les Symboles et rituels religieux dans les institutions publiques*, Commission des droits de la personne et de la jeunesse du Québec, novembre 1999, p. 20.

6 • LA LAÏCITÉ LIBÉRALE-PLURALISTE : L'EXEMPLE QUÉBÉCOIS

1. C'est aussi l'avis de Jean Baubérot dans *Une laïcité interculturelle. Le Québec, avenir de la France?*, La Tour d'Aigues, Éditions de l'aube, 2008.
2. Voir Micheline Milot, *La Laïcité*, p. 69-70.
3. Les minorités catholiques et protestantes dans les quatre provinces constitutives de la Confédération jouissent d'une protection spéciale en matière d'administration des écoles.
4. Nous nous appuyons ici sur les développements de Micheline

Milot dans *Laïcité dans le Nouveau Monde. Le cas du Québec*, p. 80 et suivantes.

5. Voir Micheline Milot, *La Laïcité*, p. 74-76.

6. Plusieurs feront remarquer qu'une référence à la suprématie de Dieu est contenue dans le préambule de la Loi constitutionnelle de 1982 : « Attendu que le Canada est fondé sur des principes qui reconnaissent la suprématie de Dieu et la primauté du droit [...].» Bien que cette référence puisse raisonnablement paraître inopportune aux yeux des athées, des agnostiques et des personnes religieuses qui considèrent que le magistrat civil devrait se préoccuper exclusivement des affaires publiques, sa portée juridique s'est avérée à ce jour inexistante. Les droits et libertés inscrits dans les chartes et la définition et répartition des pouvoirs spécifiée par la Constitution établissent *de jure* la laïcité de l'État canadien. C'est pourquoi la référence à Dieu dans le préambule n'a pas poussé les tribunaux à favoriser la croyance aux dépends de la non-croyance religieuse.

7. C'est ce que Louis Balthazar a appelé la « laïcité tranquille du Québec ». Voir Louis Balthazar, « La laïcité tranquille du Québec », dans Jacques Lemaire (dir.), *La Laïcité en Amérique du Nord*, Bruxelles, Éditions de l'Université de Bruxelles, 1990, p. 31-42.

8. Pour un survol du débat québécois sur la laïcité dans les années 1990, voir Solange Lefebvre, « Origines et actualité de la laïcité. Lecture socio-théologique », *Théologiques*, vol. 6, n° 1 (mars 1998), p. 63-79.

9. Voir, par exemple, l'avis du Conseil des relations interculturelles du Québec, *Laïcité et diversité religieuse. L'approche québécoise*, avis présenté à la ministre des Relations avec les citoyens et de l'Immigration, 2004.

10. Groupe de travail, *Laïcité et religion. Perspective nouvelle pour l'école québécoise*, Québec, Ministère de l'Éducation, 1999, avant-propos.

11. Reconnaissant que la religion offre aux croyants des ressources

spirituelles importantes, le Groupe de travail sur la place de la religion à l'école suggère qu'un service d'animation de la vie religieuse et spirituelle commun soit offert aux élèves qui souhaitent s'en prévaloir.

12. Conseil supérieur de l'éducation, *Pour un aménagement respectueux des libertés et des droits fondamentaux : une école pleinement ouverte à tous les élèves du Québec*, avis présenté au ministre de l'Éducation, 2005 ; Comité sur les affaires religieuses, *La Laïcité scolaire au Québec, un nécessaire changement de culture institutionnelle*, avis présenté au ministre de l'Éducation, du Loisir et du Sport, 2006. La commission Stasi a aussi reconnu l'importance de transmettre aux élèves les outils leur permettant de comprendre le fait religieux dans ses multiples dimensions : Bernard Stasi, *Rapport de la Commission de réflexion sur l'application du principe de laïcité dans la République*, p. 14, 15 et 63. Voir aussi Stephen Prothero, *Religious Literacy : What Every American Needs to Know — And Doesn't*, New York, HarperCollins, 2008. Au sujet du programme Éthique et culture religieuse, voir Georges Leroux, *Éthique, culture religieuse, dialogue. Arguments pour un programme*, Montréal, Fides, 2007 ; et Luc Bégin, « Éthique et culture religieuse : une réponse appropriée au défi du pluralisme », *Éthique publique*, vol. 10, n° 1 (2008).

13. Voir Commission des droits de la personne et des droits de la jeunesse du Québec, *Le Pluralisme religieux au Québec. Un défi d'éthique sociale*, février 1995.

14. Conseil du statut de la femme, *Réflexion sur la question du voile à l'école*, Québec, 1995, p. 39. Même si le Conseil du statut de la femme a durci sa position sur la laïcité dans un avis récent, il n'est pas pour autant revenu sur sa position de 1995 sur le port du foulard par les élèves musulmanes à l'école publique. Voir Conseil du statut de la femme, *Droit à l'égalité entre les femmes et les hommes et liberté religieuse*, Québec, 2007.

15. Comme le souligne Micheline Milot, au Québec et au Canada, « la séparation des pouvoirs politique et religieux, l'absence de

religion d'État, la neutralité et la laïcité (on retrouve toutes ces expressions dans la jurisprudence) apparaissent comme des exigences qui s'imposent à l'État et aux institutions publiques, mais elles ne sont pas définies comme des principes constitutionnels ni comme des valeurs en surplomb (comme c'est le cas en France pour la laïcité, qui est non seulement un principe constitutionnel, mais une valeur qui définit la République). Elles apparaissent en quelque sorte *subordonnées à des droits reconnus comme fondamentaux* ». Voir « Les principes de laïcité politique au Québec et au Canada », dans Micheline Milot (dir.), « La laïcité au Québec et en France », numéro spécial du *Bulletin d'histoire politique,* vol. 13, n° 3 (2005), p. 19.

16. Voir le rapport de la Commission, *Fonder l'avenir. Le temps de la conciliation,* Québec, 2008, disponible sur son site officiel, www.accommodements.qc.ca. Comme spécifié dans l'avant-propos, les auteurs du présent livre ont agi respectivement en tant que coprésident (C. Taylor) et analyste-expert (J. Maclure) au sein de cette commission.

DEUXIÈME PARTIE — PENSER LA LIBERTÉ DE CONSCIENCE
PRÉAMBULE

1. John Rawls, *A Theory of Justice,* Cambridge (Mass.), The Belknap Press of Harvard University Press, 1971, p. 4.

7 • L'OBLIGATION JURIDIQUE D'ACCOMMODEMENT RAISONNABLE

1. Haut-Commissariat aux droits de l'homme, *Pacte international relatif aux droits civils et politiques,* adopté le 16 décembre 1966 par l'Assemblée générale des Nations Unies.

2. Dans les termes de Locke : « Mais, direz-vous, que faire si le magistrat ordonne dans un édit quelque chose qui semble illicite à la conscience d'un particulier ? Je répondrai que, si l'État est gouverné de bonne foi, et si les décisions du magistrat sont

véritablement dirigées vers le bien commun des citoyens, cela arrivera rarement ; si par hasard cela arrivait, je dis que chacun doit s'abstenir de l'action qui est déclarée illicite par sa propre conscience et se soumettre à la peine qu'il n'est pas illicite de supporter. En effet, le jugement privé de chacun concernant une loi faite en vue du bien public ou sur les affaires politiques ne supprime pas l'obligation et ne mérite pas de tolérance. » John Locke, *Lettre sur la tolérance*, p. 75.

3. Comme le résume bien Pierre Bosset, la norme d'accommodement raisonnable est, dans le droit canadien, « une *obligation juridique*, applicable dans une situation de *discrimination*, et consistant à aménager une norme ou une pratique de portée universelle dans les limites du raisonnable, en accordant un traitement différentiel à une personne qui, autrement, serait pénalisée par l'application d'une telle norme ». Pierre Bosset, « Les fondements juridiques et l'évolution de l'obligation d'accommodement raisonnable », dans Myriam Jézéquel (dir.), *Les Accommodements raisonnables : quoi, comment, jusqu'où ? Des outils pour tous*, Cowansville (Québec), Yvon Blais, 2007, p. 10.

4. Will Kymlicka, *La Citoyenneté multiculturelle. Une théorie libérale du droit des minorités*, Montréal, Boréal, 2001 ; Charles Taylor, « La politique de la reconnaissance », dans Amy Gutman (dir.), *Multiculturalisme*, Paris, Flammarion, 1999 ; James Tully, *Strange Multiplicity : Constitutionalism in an Age of Diversity*, Cambridge, Cambridge University Press, 1995 ; Bhikhu Parekh, *Rethinking Multiculturalism : Cultural Diversity and Political Theory*, Cambridge (Mass.), Harvard University Press, 2000.

5. *R. c. Big M Drug Mart Ltd.*, [1985] 1 R.C.S. 295.

6. Ainsi, dans l'affaire *Edwards Books*, la Cour suprême a validé une loi ontarienne interdisant l'ouverture des commerces le dimanche. Alors que l'ancienne Loi sur le dimanche visait, selon la Cour, à encourager le culte, l'objet de la Loi sur les jours fériés dans les commerces de détail était séculier : celle-ci établissait l'obligation « d'accorder des jours de congé uniformes

aux salariés du commerce de détail ». *R. c. Edwards Books and Art Ltd.*, [1986] 2 R.C.S. 713. La Cour reconnaît cependant que le choix du dimanche favorise les personnes qui doivent s'abstenir de travailler le dimanche pour des raisons religieuses. Cette position est donc acceptable uniquement si elle est accompagnée d'une exemption déjà prévue dans la loi (comme c'était le cas dans la loi contestée par les appelants) ou d'une obligation d'accommodement pour les personnes qui doivent chômer un autre jour que le dimanche pour des raisons religieuses.

7. Jocelyn Maclure, « Une défense du multiculturalisme comme principe de morale politique », dans Myriam Jézéquel (dir.), *La Justice à l'épreuve de la diversité culturelle*, Cowansville (Québec), Yvon Blais, 2007.

8 • LES CROYANCES RELIGIEUSES SONT-ELLES DES « GOÛTS DISPENDIEUX » ?

1. Mouvement laïque québécois, « Les demandes d'accommodements religieux sont irrecevables », *Cité laïque,* nº 8 (hiver 2007), www.mlq.qc.ca, consulté le 20 septembre 2007. Dans les débats en philosophie politique, Brian Barry considère que la pratique religieuse relève du choix libre et volontaire, alors que Bhikhu Parekh soutient qu'elle se situe du côté des circonstances. Pour une réflexion critique sur cette façon de poser le débat, voir Susan Mendus, « Choice, Chance, and Multiculturalism », dans Paul Kelly (dir.), *Multiculturalism Reconsidered: Culture and Equality and its Critics,* Cambridge, Polity Press, 2002.

2. C'est cette intuition morale qui se trouve au fondement de la théorie normative qu'est l'« égalitarisme de la fortune » *(luck egalitarianism),* défendue de différentes façons par des auteurs comme Ronald Dworkin, G. A. Cohen et Richard Arneson. Voir Ronald Dworkin, *Sovereign Virtue: The Theory and Practice of Equality,* Cambridge (Mass.), Harvard University Press,

2000; G. A. Cohen, « On the Currency of Egalitarian Justice », *Ethics*, vol. 99 (1989), p. 906-944; Richard Arneson, « Equality and Equal Opportunity for Welfare », *Philosophical Studies*, vol. 56 (1989), p. 77-93. Pour une critique convaincante de la tentative de faire de la distinction entre choix et circonstances un principe général de justice, voir Samuel Scheffler, « What Is Egalitarianism? », *Philosophy and Public Affairs*, vol. 31, n° 1 (2003), p. 5-39; Elizabeth Anderson, « What Is the Point of Equality? », *Ethics*, vol. 109, n° 2 (1999), p. 287-337.

3. Brian Barry, *Culture & Equality: An Egalitarian Critique of Multiculturalism*, Cambridge (Mass.), Harvard University Press, 2001, p. 35.

4. *Ibid.*, p. 37. D'une façon à première vue surprenante, le juge de la Cour suprême des États-Unis Antonin Scalia, réputé pour son conservatisme, en arrive à la même conclusion que Barry au sujet des accommodements religieux dans la très controversée décision *Smith* de 1990. Écrivant l'opinion majoritaire, Scalia soutient que le premier amendement à la Constitution protège les *croyances* religieuses, mais qu'il permet aux États de réguler les *conduites* religieuses; il soutient surtout que les individus ne peuvent invoquer leurs croyances religieuses pour se soustraire à l'autorité de lois constitutionnellement valides. Pour le juge Scalia, les exceptions et autres accommodements sont, de façon générale, injustes et constituent une menace pour la stabilité politique. Voir Martha Nussbaum, *Liberty of Conscience*, p. 153-155.

5. Brian Barry, *Culture & Equality*, p. 34.

6. *Ibid.*, p. 35-36.

7. Sur la multiplicité et l'irréductibilité des valeurs, voir Thomas Nagel, « La fragmentation de la valeur », dans *Questions mortelles*, Paris, Presses universitaires de France, 1985.

8. Notre position n'est pas sans rappeler la critique de Bernard Williams de l'éthique utilitariste. Comme l'écrit Williams, « parce que notre relation morale au monde est, pour partie, donnée par ces sentiments [moraux] et par un sens de ce avec

quoi nous pouvons ou ne pouvons pas vivre, regarder ces sentiments d'un point de vue purement utilitariste, c'est-à-dire comme se produisant en dehors de notre personnalité morale, c'est perdre une dimension de notre identité morale ; c'est, en un sens tout à fait littéral, perdre notre intégrité. En cela, l'utilitarisme nous aliène de nos sentiments moraux ». Bernard Williams, « Une critique de l'utilitarisme », dans *Utilitarisme : le pour et le contre,* Genève, Labor et Fides, 1997, p. 98.

9. Pour une défense distincte de l'obligation d'accommodement fondée sur la liberté de religion reposant aussi sur la notion d'« intégrité morale », voir Paul Bou-Habib, « A Theory of Religious Accommodation », *Journal of Applied Philosophy,* vol. 23, n⁰ 1 (2006), p. 109-126.

10. Mouvement laïque québécois, mémoire présenté à la Commission sur les pratiques d'accommodement reliées aux différences culturelles, 16 octobre 2007, p. 12.

11. Pour une décision octroyant une exemption à deux officiers sunnites qui souhaitaient porter la barbe pour des raisons religieuses, décision écrite par Samuel Alito alors qu'il était juge pour une cour d'appel fédérale, voir *Police* v. *City of Newark,* 170 F.3d 359 (3d Cir. 1999).

12. Comme les croyances morales ne sont pas nécessairement « métaphysiques » dans un sens fort, la signification de cette position n'est pas tout à fait claire.

9 • LA CONCEPTION SUBJECTIVE DE LA LIBERTÉ DE RELIGION ET L'INDIVIDUALISATION DE LA CROYANCE

1. *Syndicat Northcrest* c. *Amselem,* [2004] 2 R.C.S. 551, 2004 CSC 47.

2. *Idem.*

3. Voir entre autres, sur la personnalisation de la croyance, Reginald Bibby, *La Religion à la carte,* Montréal, Fides, 1998.

4. William James, *Les Formes multiples de l'expérience religieuse,* Chambéry (France), Exergue, 2001, p. 69. Voir aussi Charles

Taylor, *La Diversité de l'expérience religieuse aujourd'hui. William James revisité*, Montréal, Bellarmin, 2003.

5. *Syndicat Northcrest* c. *Amselem.*

6. James considère qu'il faut admettre « dès l'abord comme très probable que nous n'arriverons pas à découvrir l'essence même de la religion », mais plutôt « une série de traits caractéristiques » qui peuvent occuper une place plus ou moins grande dans les différentes formes d'expérience religieuse. Voir William James, *Les Formes multiples de l'expérience religieuse*, p. 67. Le concept wittgensteinien d'« air de famille » s'avère ainsi plus adéquat que celui d'« essence » lorsqu'il s'agit de définir ce qu'est la religion ou l'expérience religieuse. Sur la question de la difficulté, pour le droit, de définir la religion, voir Kent Greenawalt, *Religion and the Constitution*, vol. 1 : *Free Exercice and Fairness*, p. 124-156.

10 • L'OBLIGATION LÉGALE D'ACCOMMODEMENT FAVORISE-T-ELLE LA RELIGION ?

1. Joseph Story, *Commentaries on the Constitution of the United States*, Melville M. Bigelow (éd.), Boston, Little, Brown, 5e édition, 1891, paragraphe 1865 (nous traduisons).

2. Un mouvement en faveur d'une ouverture envers les autres religions, et même envers l'absence de croyances religieuses, prend forme au fur et à mesure que le siècle avance, entraînant la création en 1863 de la National Reform Association, dont la mission est de lutter pour le maintien du caractère chrétien de la nation et du gouvernement américains. Le but de l'association est défini comme suit : « L'objectif de cette Société est de conserver les spécificités chrétiennes existantes au sein du gouvernement américain [...] d'obtenir un amendement à la Constitution des États-Unis, lequel amendement déclarera l'allégeance de la nation à Jésus-Christ et son acceptation des lois morales de la religion chrétienne, pour ainsi signifier qu'il s'agit d'une nation chrétienne, et pour donner à toutes les lois,

institutions et pratiques chrétiennes de notre gouvernement un fondement juridique incontestable dans la loi fondamentale du pays. » *Constitution of the National Reform Association*, sdapillars.org/media/NRAconstitution.pdf, consulté le 8 mai 2009 (nous traduisons).

3. *Church of the Holy Trinity* v. *United States*, 143 U.S. 457 à 471. La Cour suprême déclare à nouveau en 1931 que les Américains forment « un peuple chrétien ». En 1952, le juge William O. Douglas, considéré comme l'un des plus libéraux de l'histoire de la Cour suprême, déclare en outre : « Nous sommes un peuple religieux dont les institutions présupposent un Être suprême. » Christian Smith, *The Secular Revolution*, Berkeley, University of California Press, 2003, cité par Ronald Dworkin, « Religion and Dignity », dans *Is Democracy Possible Here?*, Princeton (N. J.), Princeton University Press, 2006, p. 62 (nous traduisons).

4. Cette approbation générique de la religion peut notamment se traduire par un soutien financier aux communautés religieuses. La théorie du « non-préférentialisme » était défendue entre autres par William Rehnquist, juge en chef de la Cour suprême des États-Unis de 1989 à 2005. Voir Martha Nussbaum, *Liberty of Conscience*, p. 109.

5. Discours de Nicolas Sarkozy au palais du Latran, 20 décembre 2007.

6. Dans l'arrêt *Welsh*, prononcé pendant la guerre du Vietnam, la majorité a soutenu que le statut d'objecteur de conscience devait être octroyé « à tous ceux dont la conscience, aiguillonnée par des croyances morales, éthiques ou religieuses profondes, ne serait jamais en paix s'ils obtempéraient à devenir instruments d'une guerre ». Voir *Welsh* v. *United States*, [1970] 398 U.S. 33 à 341 (nous traduisons). Voir aussi Kent Greenawalt, *Religion and the Constitution*, vol. 1, chap. 4.

7. L'idée n'est pas d'affirmer que les croyances religieuses ne se distinguent en rien, d'un point de vue sémantique, des convictions de conscience séculières, mais bien de soutenir qu'elles

appartiennent à la même catégorie normative. Notre position converge ici avec celle de Ronald Dworkin. Selon lui, « une communauté laïque tolérante doit par conséquent trouver une justification de la liberté de religion dans un principe de liberté plus fondamental ; un principe de liberté capable de générer une conception plus généreuse des sphères de la valeur au sein desquelles les individus sont libres de choisir par eux-mêmes ». Ronald Dworkin, « Religion and Dignity », dans *Is Democracy Possible Here?*, p. 61 (nous traduisons).

8. *R.* c. *Edwards Books and Art Ltd.* (nous soulignons). Dans le même esprit, l'article 9 de la Convention européenne des droits de l'homme stipule que « toute personne a droit à la liberté de pensée, de conscience et de religion ; ce droit implique la liberté de changer *de religion ou de conviction,* ainsi que la liberté de manifester *sa religion ou sa conviction* individuellement ou collectivement, en public ou en privé, par le culte, l'enseignement, les pratiques et l'accomplissement des rites » (nous soulignons).

9. Pour un jugement allant en ce sens, voir la décision de la Cour fédérale du Canada dans l'affaire *Maurice* c. *Canada (P.G.)*, [2002] 210 D.L.R. (4th) 186.

10. John Locke, *Lettre sur la tolérance,* p. 13.

11. Voir Isabelle Dumont, Serge Dumont et Suzanne Mongeau, « End-of-Life Care and the Grieving Process : Family Caregivers Who Have Experienced the Loss of a Terminal-Phase Cancer Patient », *Qualitative Health Research,* vol. 18, n° 8 (2008), p. 1049-1061.

12. John Rawls, *Libéralisme politique,* p. 38.

13. *Idem.*

14. On pourrait raisonnablement arguer que ce genre de cas interpelle davantage le champ des politiques publiques que celui de l'obligation légale d'accommodement. Selon ce point de vue, des politiques sociales comme le soutien financier aux proches aidants et des mesures visant une meilleure conciliation travail-famille seraient plus appropriées que des accom-

modements au cas par cas. De plus en plus de personnes sont appelées à prendre soin d'un proche, et ce fait rend impérative l'élaboration de politiques publiques visant à les soutenir dans ce rôle ; or, cela ne signifie pas pour autant qu'une personne, dans un contexte singulier, ne pourrait pas s'appuyer sur la valeur qu'elle accorde à son rôle de proche aidant pour revendiquer une mesure d'accommodement. Sur la détresse psychologique vécue par les proches aidants, voir Isabelle Dumont *et al.*, « End-of-Life Care and the Grieving Process ».

15. *U.S.* v. *Seeger*, [1965] 380 U.S. 163 (nous traduisons et soulignons).

16. Martha Nussbaum, *Liberty of Conscience*, p. 169.

17. Voir Charles Taylor, « L'affirmation de la vie ordinaire », dans *Les Sources du moi. La formation de l'identité moderne*, p. 273-386.

18. Pour une réflexion complémentaire, voir Jean-François Gaudreault-Desbiens, « Quelques angles morts du débat sur l'accommodement raisonnable à la lumière de la question du port de signes religieux à l'école publique : réflexions en forme de points d'interrogation », dans Myriam Jézéquel, *Les Accommodements raisonnables : quoi, comment, jusqu'où ?*.

19. Dans l'arrêt *Amselem*, le juge Bastarache n'a pas été convaincu que les appelants croyaient sincèrement avoir l'obligation de posséder leur *propre* souccah sur leur balcon. Il a soutenu, dans son opinion minoritaire, que, si la liberté de conscience protège la pratique consistant à célébrer dans une souccah, elle ne confère pas nécessairement le droit de posséder sa propre souccah individuelle. *Syndicat Northcrest* c. *Amselem*, paragraphe 123.

20. *Ibid.*, paragraphes 51 à 55.

21. Dans l'affaire *Maurice*, le juge Campbell de la Cour fédérale du Canada souligne que, pour qu'un détenu puisse se fonder sur une conviction de conscience séculière pour obtenir un menu végétarien, « des éléments de preuve convaincants doivent être présentés afin d'établir la conviction […] selon la prépondé-

rance des probabilités. Compte tenu de la preuve qui a été présentée en l'espèce, il ne m'est pas difficile de conclure que le demandeur a des convictions fermes au sujet de la consommation de produits d'origine animale. Le grand nombre de demandes et de griefs que le demandeur a présentés sur ce point, le temps et les efforts énormes qui ont été consacrés au présent contrôle judiciaire ainsi que les efforts soutenus que le demandeur a faits en vue de suivre un régime végétarien indiquent fortement l'existence de convictions visées par la liberté de conscience prévue à l'alinéa 2*a*) de la *Charte*. À mon avis, la *Charte* et la législation sur le système correctionnel et la mise en liberté sous condition reconnaissent au demandeur le droit à un régime végétarien ». Voir *Maurice* c. *Canada*, paragraphe 15.

II • LES LIMITES RAISONNABLES À LA LIBERTÉ DE CONSCIENCE

1. Pour une réflexion plus soutenue sur les balises extrinsèques aux demandes d'accommodement, voir *Fonder l'avenir. Le temps de la conciliation. Rapport de la Commission de consultation sur les pratiques d'accommodement reliées aux différences culturelles*, 2008, p. 162-166 ; ainsi que Pierre Bosset, « Limites de l'accommodement raisonnable : le droit a-t-il tout dit ? », *Éthique publique*, vol. 9, n° 1 (2007), p. 165-168.

2. Voir John Stuart Mill, *De la liberté*; et Ronald Dworkin, « Taking Rights Seriously », dans *Taking Rights Seriously*, Cambridge (Mass.), Harvard University Press, 1978. Selon les termes de l'article 1 de la Charte canadienne des droits et libertés, les droits et libertés fondamentaux peuvent être restreints « dans des limites qui soient raisonnables et dont la justification puisse se démontrer dans le cadre d'une société libre et démocratique ». Comme l'a soutenu Jürgen Habermas, la légitimité politique des démocraties constitutionnelles repose sur la tension permanente entre les principes de la souveraineté popu-

laire et de l'État de droit *(rule of law)*. Jürgen Habermas, *Droit et démocratie*, Paris, Gallimard, 1997.

3. *B. (R.)* c. *Children's Aid Society of Metropolitan Toronto*, [1995] 1 R.C.S. 315.

4. Notons qu'une personne majeure peut refuser un traitement médical.

5. Stephen Macedo, « Liberal Civic Education and Religious Fundamentalism: The Case of God v. John Rawls ? », *Ethics*, vol. 105, n° 3 (1995) ; Colin Macleod, « Toleration, Children and Education », *Educational Philosophy and Theory*, vol. 41, à paraître en 2010.

6. Le but d'un programme d'éthique, de culture religieuse ou d'éducation civique ne doit donc pas être de faire la promotion d'un mode de vie célébrant l'hybridité culturelle ou le cosmopolitisme, mais bien de permettre à l'élève de comprendre le monde et la société dans lesquels il vit et de coopérer avec des concitoyens aux profils identitaires divers.

CONCLUSION

1. En réaction à la politisation de la religion observée chez certains mouvements religieux, des auteurs, souvent issus des milieux scientifiques, ont publié des livres critiquant la religion qui ont été largement débattus sur la place publique. Voir Sam Harris, *The End of Faith: Religion, Terror, and the Future of Reason*, New York, W. W. Norton, 2004 ; Richard Dawkins, *Pour en finir avec Dieu*, Paris, Robert Laffont, 2008 ; Daniel C. Dennett, *Breaking the Spell: Religion as a Natural Phenomenon*, New York, Viking, 2006 ; Christopher Hitchens, *God Is Not Great: How Religion Poisons Everything*, Hachette Book Group, 2007 ; Victor J. Stenger, *God: The Failed Hypothesis. How Science Shows that God Does Not Exist*, Amherst (N. Y.), Prometheus Books, 2008 ; A. C. Grayling, *Against All Gods: Six Polemics on Religion and an Essay on Kindness*, Londres, Oberon Books, 2007. Voir aussi le documentaire de Bill Maher, *Reliculous*, 2008.

2. C'est-à-dire les personnes qui cherchent à expliquer l'ensemble des phénomènes se présentant à la conscience humaine sans avoir recours à des entités immatérielles ou supranaturelles comme l'« âme » ou « Dieu ».

3. Voir Gidon Sapir et Daniel Statman, « Why Freedom of Religion Does Not Include Freedom From Religion », *Law and Philosophy,* vol. 24 (2005), p. 467-508.

4. Le documentaire consacré au procès intenté contre *Charlie Hebdo* à la suite de la republication des caricatures témoigne bien de la perception qu'avait d'elle-même l'équipe de l'hebdomadaire, qui se voyait comme la vaillante défenseure de la liberté d'expression dans un monde occidental qui n'aurait plus le courage de ses convictions. Voir le documentaire de Daniel Leconte, *C'est dur d'être aimé par des cons,* 2008.

5. John Rawls, *Libéralisme politique,* p. 298-306 ; Jürgen Habermas, « Foi et savoir », dans *L'Avenir de la nature humaine,* Paris, Gallimard, 2002.

Table des matières

CRÉDITS ET REMERCIEMENTS

Les Éditions du Boréal reconnaissent l'aide financière du gouvernement du Canada par l'entremise du Programme d'aide au développement de l'industrie de l'édition (PADIÉ) pour ses activités d'édition et remercient le Conseil des Arts du Canada pour son soutien financier.

Les Éditions du Boréal sont inscrites au Programme d'aide aux entreprises du livre et de l'édition spécialisée de la SODEC et bénéficient du Programme de crédit d'impôt pour l'édition de livres du gouvernement du Québec.

Couverture : Christine Lajeunesse

Imprimé sur du papier 100 % postconsommation,
traité sans chlore, certifié ÉcoLogo
et fabriqué dans une usine fonctionnant au biogaz.

Recyclé
Contribue à l'utilisation responsable
des ressources forestières
www.fsc.org Cert no. SGS-COC-003153
© 1996 Forest Stewardship Council

FSC

MISE EN PAGES ET TYPOGRAPHIE :
LES ÉDITIONS DU BORÉAL

ACHEVÉ D'IMPRIMER EN FÉVRIER 2010
SUR LES PRESSES DE MARQUIS IMPRIMEUR
À CAP-SAINT-IGNACE (QUÉBEC).